もっと飛ばす！
一発で入れる！

ゴルフ上達BOOK

監修●内藤雄士

成美堂出版

はじめに

私はよくアマチュアゴルファーの方に「ラクして、うまくなって下さい」と言っています。アマチュアにとってゴルフは余暇のひとつですから、仕事やプライベートな時間をのぞいた、限られた時間の中で効率よくうまくなってほしいと思うのです。

ところが、多くの人から「かなり時間をさいて練習しているのにうまくならない」という声を耳にします。こうした人の多くは、やるべき練習をしないで、まったく方向性の違う練習をしていることが多いのです。遠回りならいつかは目的地に着きますが、はじめから進む方向が違っていては、いつまでたっても目的地へは着きません。

私が考える、ゴルフが楽しくなるための方法論は「自分の弱点を見つけ、それを克服する」ことです。そのためには、まず自分がスコアを崩すパターン、原因を見つけて、練習の目的をはっきりさせることです。そして、その弱点を克服する練習だけをすることです。ここであれもこれもと手をつけると目的を見失い、やるべき練習ができなくなります。練習時間は週1〜2回、1時間もやれば十分でしょう。自分の弱点が少しでも解決されれば、ゴルフは確実に楽しくなります。

本書では、多くのアマチュアゴルファーが抱える問題点を克服するためのヒントを紹介しました。この本が、あなたのゴルフライフをより楽しくする一助になれば幸いです。

内藤雄士

ゴルフ上達BOOK◆目次

1章 飛ぶ&曲がらない！ドライバーショット

ワンランクアップをめざす！

簡単！スキルアップ練習法

2章 グリーンを確実にとらえる！アイアンショット

3章 1発で決める！アプローチ&バンカーショット

4章 カップインを狙う！パッティング

5章 スコアアップに直結！実戦ショットの超ハウツウ

6章 90が切れる！これがゴルフの新常識

スコアに結びつく！上手にラウンドするためのコツ

ナイスショット！につながるスイングレッスンの格言

内藤雄士インタビュー

1章

飛ぶ&曲がらない！ドライバーショット

上達につながる
グリップ・アドレス
飛ばせるスイング
徹底解説！

ドライバーショットの連続写真（正面）

アドレスからフィニッシュまでをひとつの動きに！

スイングは、アドレスからフィニッシュまでが一連の流れ（ワンピース）でなければならない。構えてから打つまでが長いと、余分な部分に力が入ってしまい、体がスムーズに動かなくなるからだ。

「構えたら足ぶみなどをしてリズムをとり、その後すぐにテークバックを始める」くらいの意識を持つようにしよう。

5 6

トップでは、しっかりと体重を右足にのせる

トップ

フィニッシュは、体が目標方向に正対するようにしっかりと振り切っていく

フィニッシュ

1
アドレスは体に不用意な力が入らないよう、リラックスして構える

2

3

4

POINT アドレスからスムーズにテークバックへ

テークバックでは、グリップが腰の位置にくるあたりまで、特にスイングプレーンに注意しゆっくりクラブを上げていく

アドレス　テークバック

7

8
インパクト前に目線がボールから離れるとヘッドアップしてしまう

9
インパクト後は頭を飛球方向に向けていく

10

ダウンスイング　インパクト　フォロースルー

用語解説 スイングプレーン／スイング中にクラブヘッドが描く平面（円）のこと（P26参照）

ドライバーショット
の連続写真（後方）

トップでスイングを止めず、フィニッシュまで一気に振り抜く

スイングがワンピースにならない典型的な例に、トップでスイングを一度止め、再びそこからダウンスイングに入るケースがある。

このようにトップでスイングを止めてしまうと、テークバックとダウンスイングの軌道が変わってしまい、正確にボールを打つことができないなどの弊害が生じる。

スイングを開始したらトップで止めることなく、一気にフィニッシュまで振り抜こう。

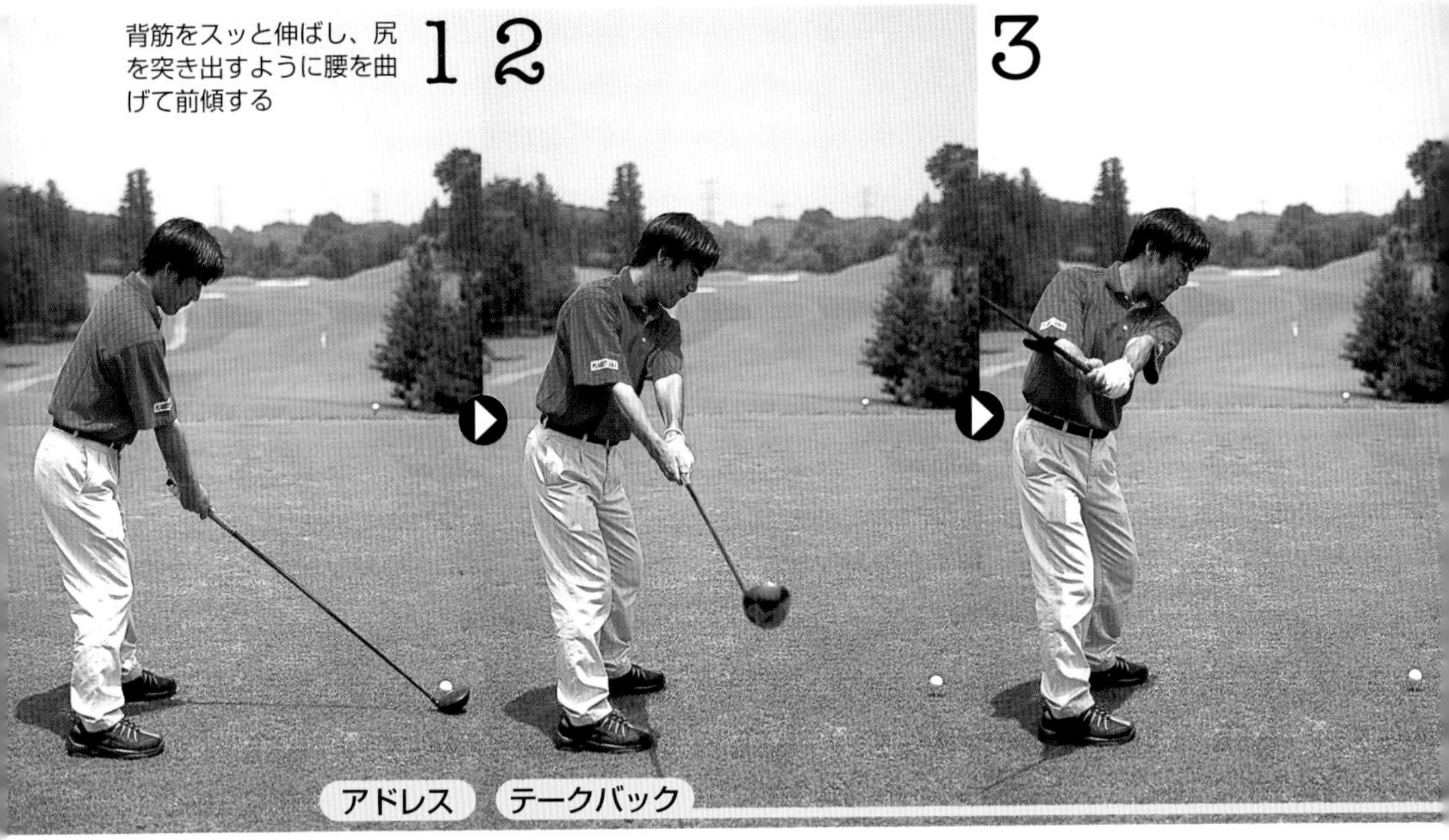

背筋をスッと伸ばし、尻を突き出すように腰を曲げて前傾する

1 2 3

アドレス　テークバック

テークバックとダウンスイングの軌道は、できるだけ同じ軌道になるようクラブを下ろす

7 8 9

ダウンスイング　インパクト

ドライバーショットの連続写真（背面）

「中→右→左」の正確な体重移動が、軸の左右のブレをなくす

4 5 6

トップで体重は右足の内側に乗り切る

トップ

10 11 12

高い位置に振り抜く(ハイフィニッシュ)ことでアウトサイドに振られ、インサイド・アウトの軌道になる

フィニッシュ

ゴルフスイングは、テークバックで中心から体重を右側に移動し、ダウンスイングからフォロースルーでは右側に移動した体重を左側へと移動する。

このときトップやダフリの原因となるスエー（体の左右のブレ）が起きやすい。このスエーを防ぐポイントとなるのが、スイング軸だ。体に軸を設定し、その軸を中心に体を回転させていけばスエーは解消できる。

用語解説
オンプレーン／スイングプレーン（P26参照）が正しい軌道を通っている状態

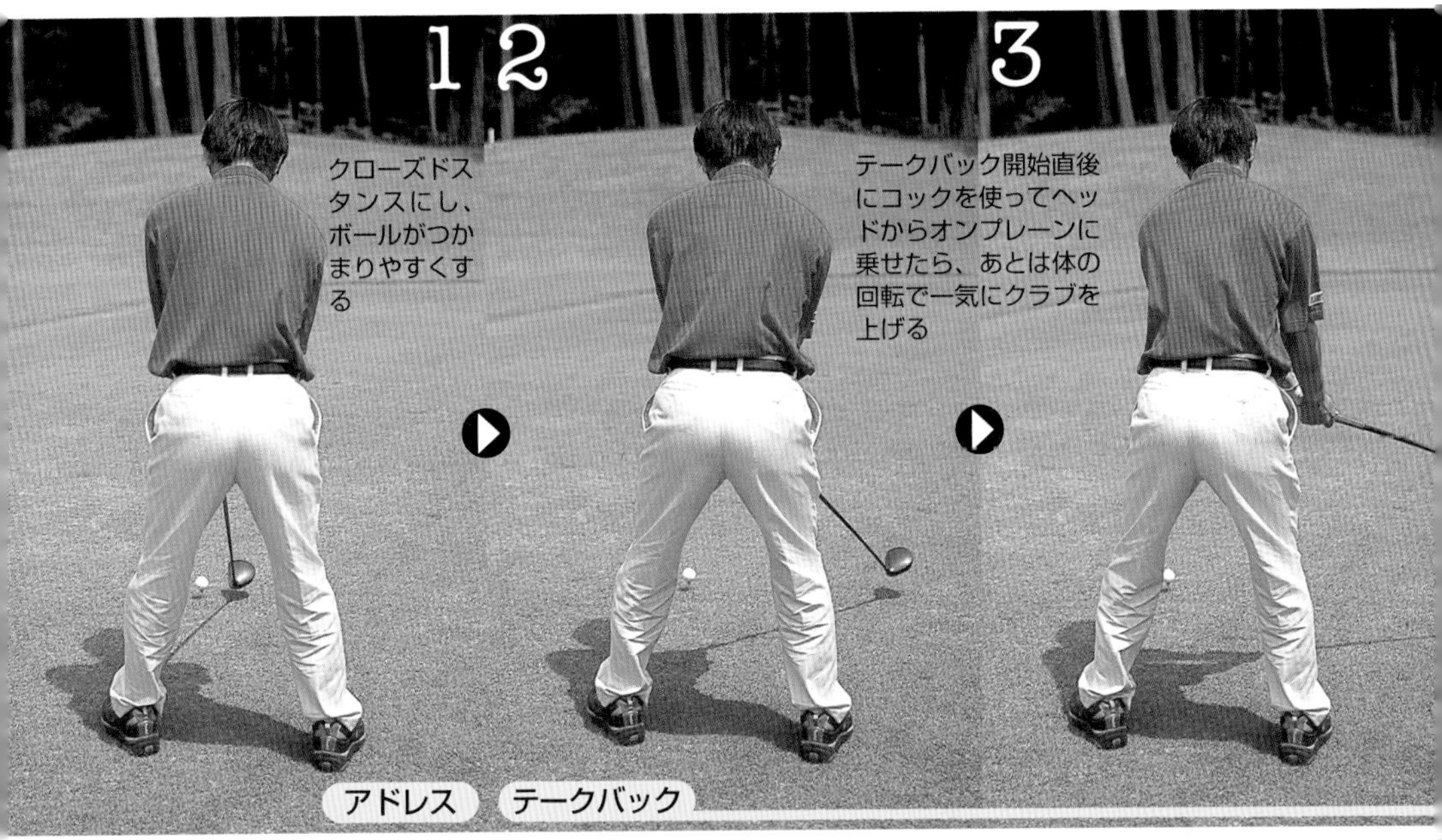

1 2 3

クローズドスタンスにし、ボールがつかまりやすくする

テークバック開始直後にコックを使ってヘッドからオンプレーンに乗せたら、あとは体の回転で一気にクラブを上げる

アドレス　テークバック

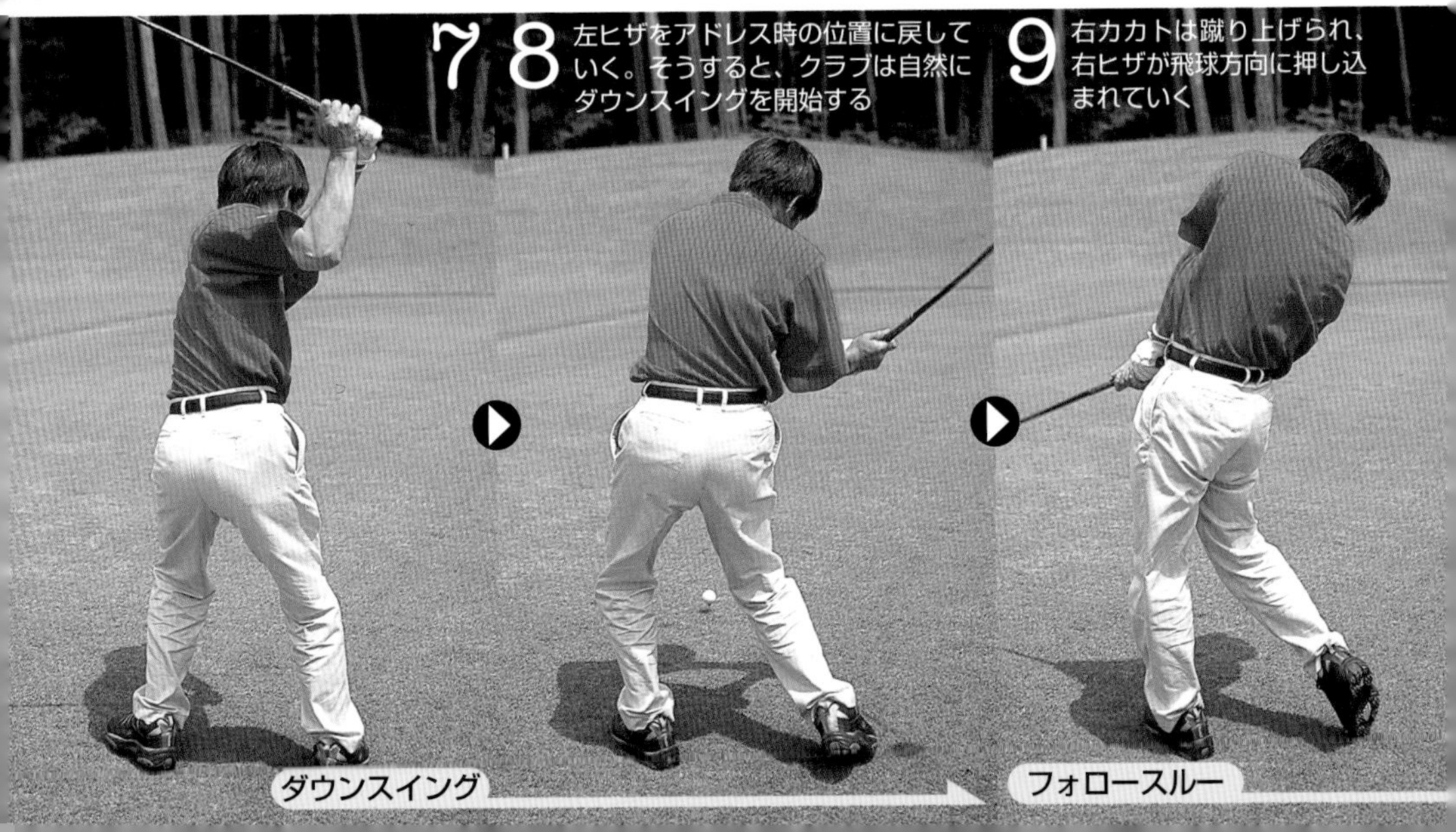

7 8 9

左ヒザをアドレス時の位置に戻していく。そうすると、クラブは自然にダウンスイングを開始する

右カカトは蹴り上げられ、右ヒザが飛球方向に押し込まれていく

ダウンスイング　フォロースルー

グリップの左手

グリップの握り方

左手は、甲が半分程度正面を向くよう深く握る

グローブのネームが見えるくらいまで深く握る。人差し指と中指のふたつの関節が見える「ツーナックル」くらいがベスト

グリップの右手を添えた完成形

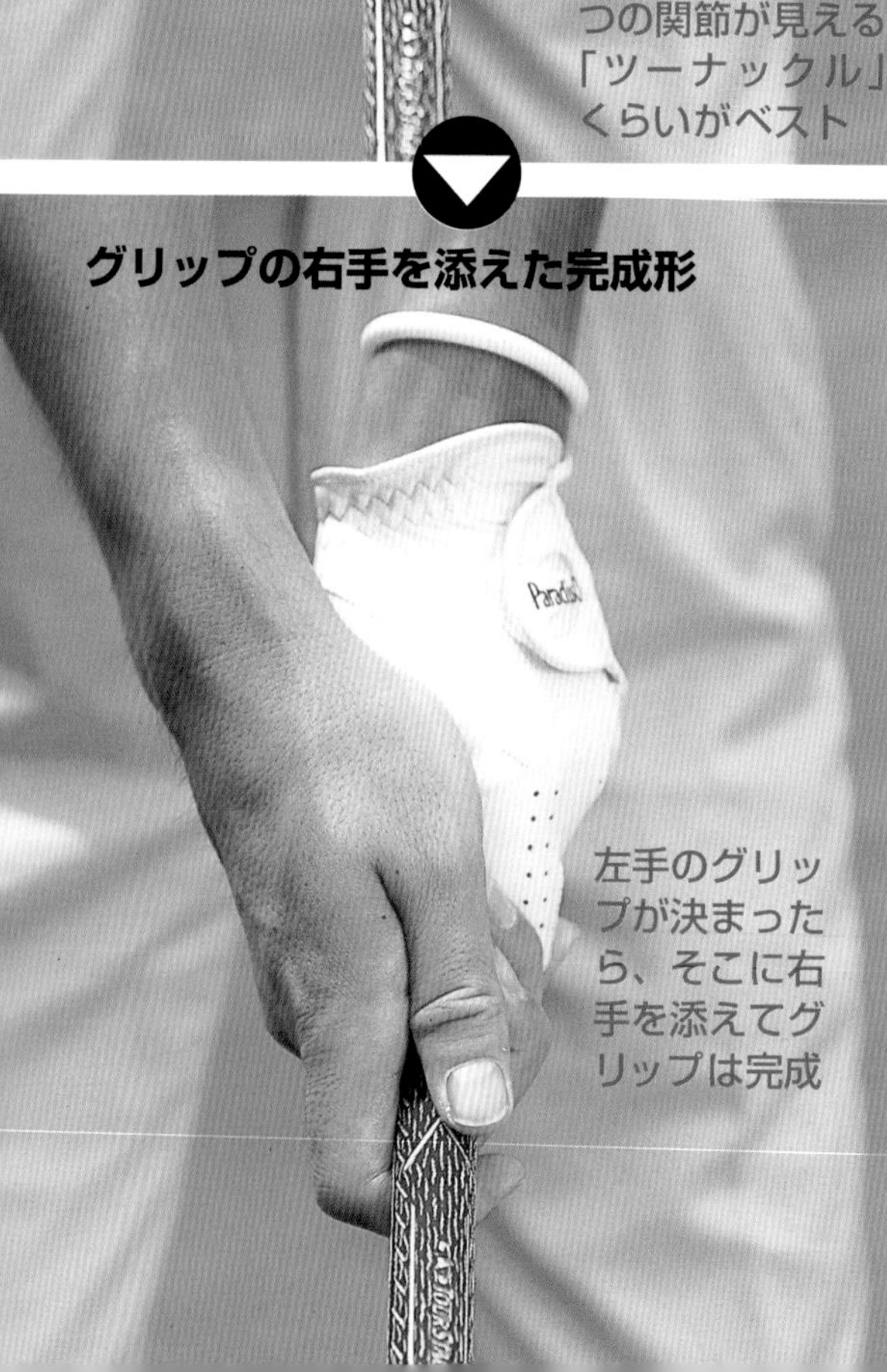

左手のグリップが決まったら、そこに右手を添えてグリップは完成

グリップ 1

左手の甲が半分正面を向くグリップがおすすめ!

おすすめのグリップは、左手甲が半分正面を向くくらい深く握り、逆に右手を浅く握る握り方だ。握り方の目安としては、右手人差し指と親指の作るV字が、アゴと右肩の中央よりも右を指すようにする。

フックがでやすい握り方のため、別名フックグリップとも呼ばれている。

米ツアープロをはじめ、現在はこのグリップが主流になっており、これをスクエアグリップと言ってもいいだろう。

おすすめグリップのメリット
●テークバックの軌道が一定になり、正しいスイングプレーンが描きやすい
●自然なトップができて、オーバースイングになりにくい

右の写真の状態から、手の向きを変えずに両手を開き平行にする。そしてこの状態でテークバックしてみよう

手首が固定されて自由に使えないため、自然にいつも同じテークバックの軌道ができる

まずクラブを持たずにグリップを握る

グリップにはストロング、スクエア、ウイークの3種類がある

グリップを大別すると、①ストロンググリップ（別名フックグリップ）②スクエアグリップ③ウイークグリップ（別名スライスグリップ）の3種類がある。ウイークグリップは、左手甲が目標方向を向くように浅く握り、逆に右手を大きくかぶせて握る。スライスが出やすいため別名スライスグリップとも呼ばれている。現在は①のストロンググリップが主流となり、このグリップがスクエアグリップと言ってもいい。

用語解説 **フック**／打球が左方向へ曲がること
オーバースイング／トップのときにクラブヘッドが地面を指すようなスイング

グリップ ❷

人差し指と親指でつくるV字が右肩を指せばOK!

グリップを握ると、左右の人差し指と親指の所にはアルファベットの「V」の字を逆さにしたカタチができる。この「V」の字が体のどこを指すかで、正しいグリップになっているかがチェックできる。

このグリップの場合、V字は右肩あたりを指す(さ)ようにする。ここであえて"あたり"と表現したのは、シビアに右肩を指せということではなく、おおよそ右肩あたりを指していればOKという意味だ。

グリップのチェック方法

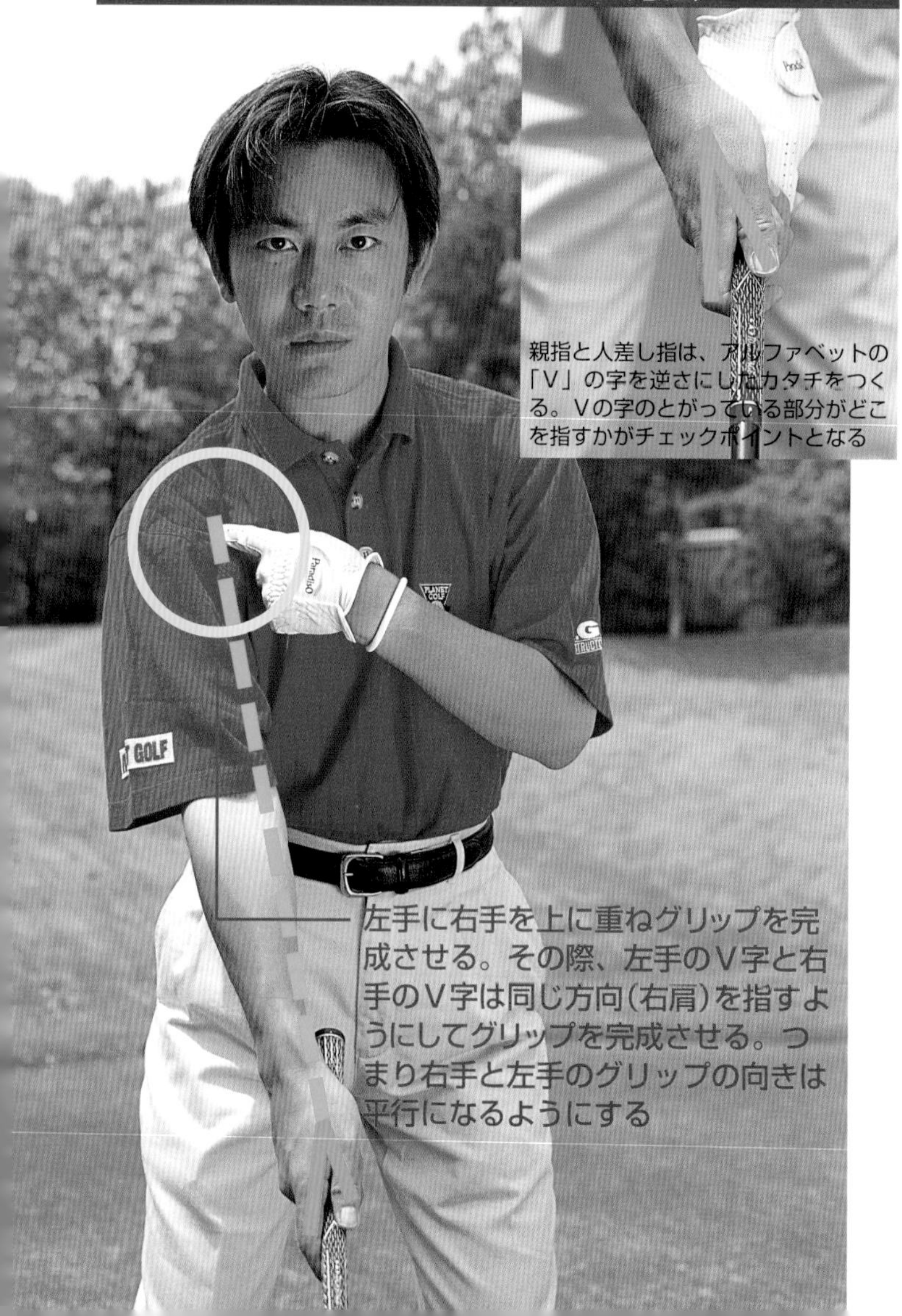

親指と人差し指は、アルファベットの「V」の字を逆さにしたカタチをつくる。Vの字のとがっている部分がどこを指すかがチェックポイントとなる

左手に右手を上に重ねグリップを完成させる。その際、左手のV字と右手のV字は同じ方向(右肩)を指すようにしてグリップを完成させる。つまり右手と左手のグリップの向きは平行になるようにする

グリップの悪い例

右手のV字が、右肩よりもはるか右寄りを指している

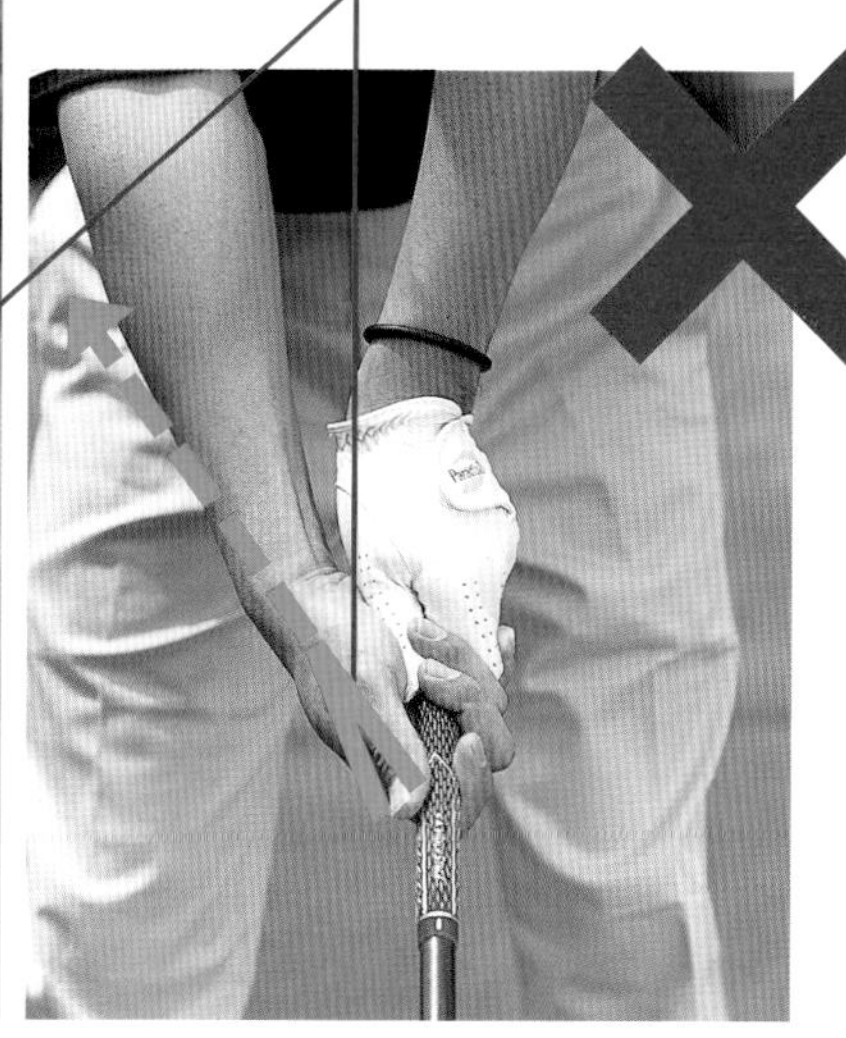

これはウイークグリップに握ってしまった例。右手と左手のV字が左肩寄りを指してしまう。グリップした際に、V字の向きでウイークグリップになっていないかも確認しよう

グリップ 3

さらに完璧なグリップにするなら、ここがポイント！

ポイント●1

小指をしっかり握れば、グリップはゆるまない！

グリップはまず左手の握りを決め、そこに右手をあてがって完成させる。握るときに力を入れるのは中指、薬指、小指の3本。その3本の指の中でも特に小指をしっかりと握る。小指さえしっかりと握れば、意識して強く握らなくてもスイング中にグリップはゆるまない。このとき、指の付け根にグリップがくるように握るフィンガーグリップがおすすめだ。

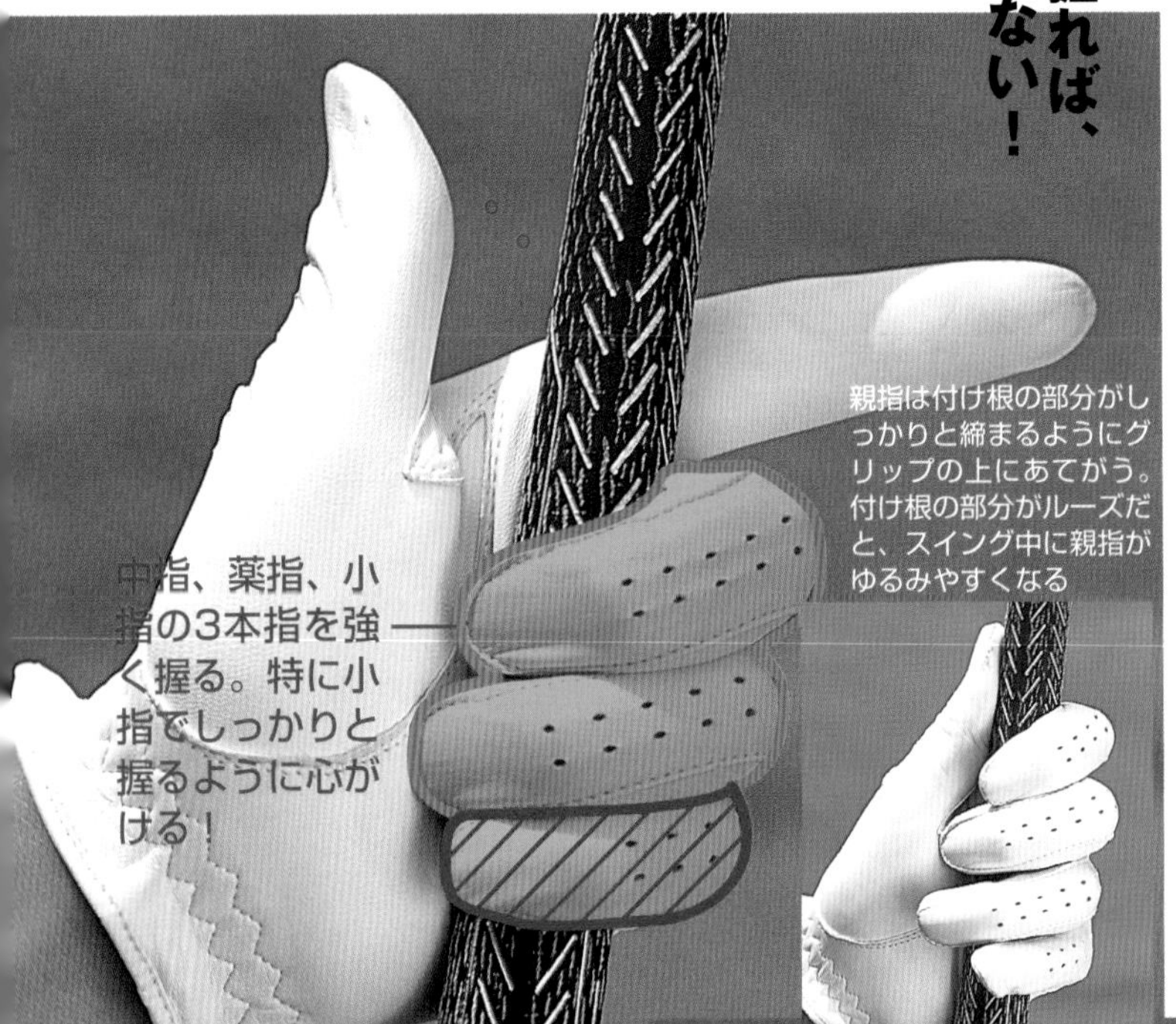

中指、薬指、小指の3本指を強く握る。特に小指でしっかりと握るように心がける！

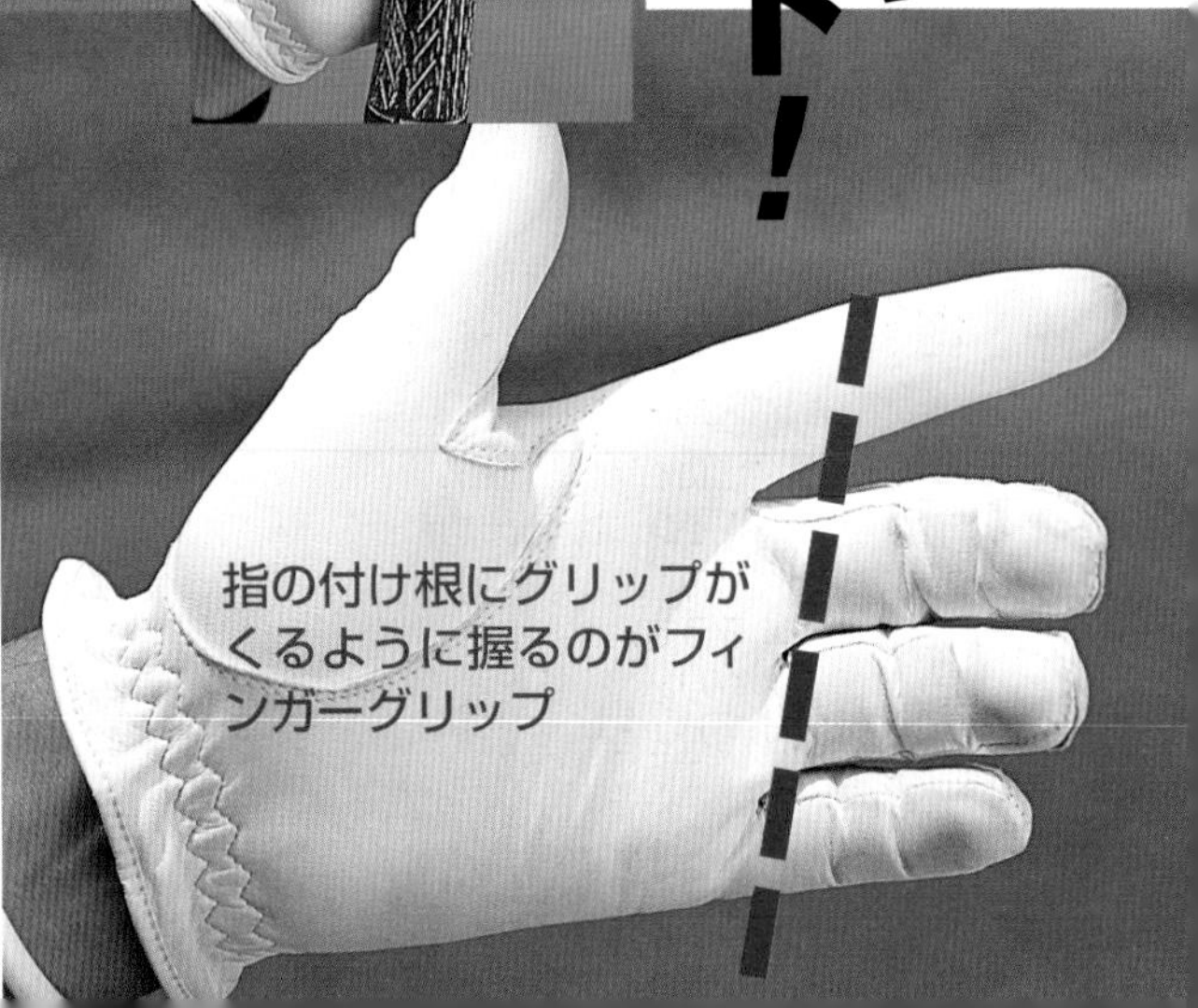

親指は付け根の部分がしっかりと締まるようにグリップの上にあてがう。付け根の部分がルーズだと、スイング中に親指がゆるみやすくなる

指の付け根にグリップがくるように握るのがフィンガーグリップ

フィンガーグリップのメリット

- ●指主体で握るため、しっかりと握りやすい
- ●手首が使いやすいため、コックがしやすい
- ●外国人に比べ手が小さい日本人に向いている

ポイント●2 グリップ時の両手のあわせ方は、オーバーラッピングがもっとも一般的

オーバーラッピングは、右手小指を左手人差し指の上にのせる握り方でもっとも一般的

大切なのは一体感を感じられるグリップにするということ！

ポイント●3 グリップは長く持ち、10段階のうち4～5の強さで握る！

グリップを長く持つことで手とグリップとの接地面積が大きくなるため、グリップもゆるみにくくなる

両手のどの部分にもグリップとの間にゆるみやすき間がないかチェックしたい

グリップを握る強さ（グリップブレッシャー）は、握手するくらいの強さ

自分が振りたい軌道に振れるグリップにする！

グリップはクラブと体の唯一の接点になります。それだけにグリップが間違っていたのでは、正しいスイングはできません。しかし、グリップが完璧ならばスイングが完璧になるかというと、そうではないのです。

あくまでもグリップは正しいスイングをするための手段のひとつでしかありません。グリップにばかりこだわると、肝心のスイングに悪い影響がでることもあります。

自分にあったグリップを見つけるときには、良いスイングをするのにクラブを動かしやすいグリップ、すなわち自分が振りたい軌道にクラブを振りやすいグリップにすることを何よりも優先してください。

アドレス 1

アドレスのつくり方

股関節(こかんせつ)から上半身を前傾させてアドレスをとる！

正しいアドレスのつくり方

①背筋を伸ばして胸を張り、かつリラックスした状態で立つ

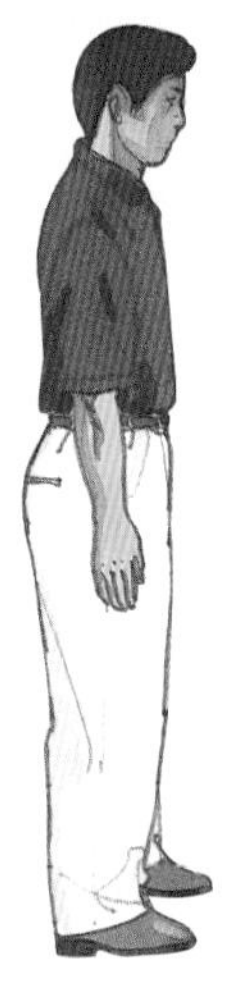

② ①の状態で股関節のところから上半身を前傾させ、尻が後ろに突き出るような感じの前傾姿勢にする。手は重力にまかせて、ダラッと下げる

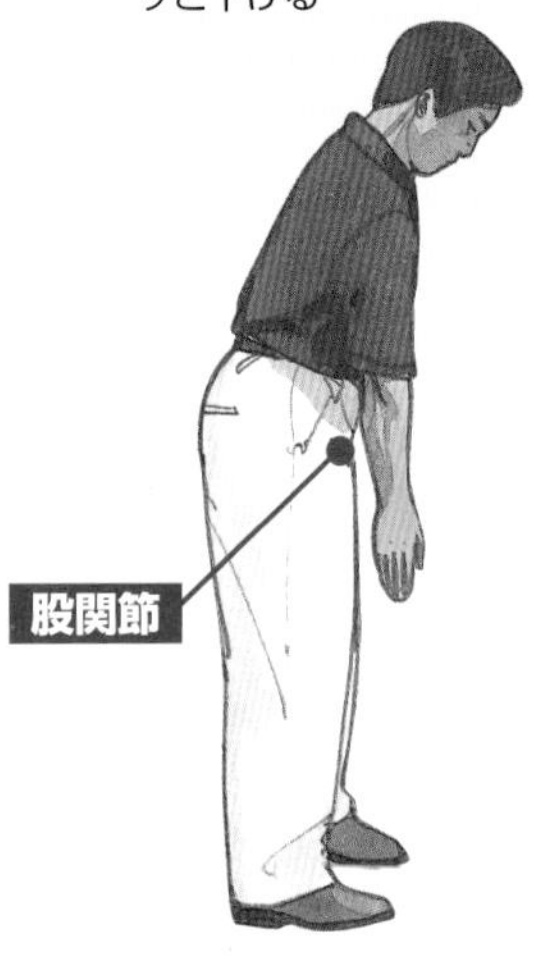

③最後にヒザを軽く曲げ、ワキを軽く閉めた状態で両手をくっつける。すると、両手は若干前に出る。この姿勢でクラブを握る

スイングに入るための構えとなるアドレスは、スムーズなスイングをするための重要なファクターだ。アドレスの形が崩れてしまっては、スイングで一番大切なスイングプレーンも崩れてしまう。

アドレスをつくるときのポイントは、股関節から上半身を前傾させ、いわゆる「出(で)っ尻(ちり)」の姿勢をとること。上半身が前傾し過ぎたり、起き上がり過ぎていては、スムーズなスイングはのぞめない。

アドレスからインパクトまでがうまくできているか、シャドースイングを繰り返してひとつひとつチェックしていく

上体が前傾し過ぎている

上体が起き上がっている

背骨はスッと伸ばす感じで、猫背にならないようにする

股関節から上半身を曲げると、尻が後ろに突き出る「出っ尻」の状態になる

体の重心を下げ、安定感のある姿勢をつくる

肩からクラブを下げた場合、その下にヒザがきているかチェックする

アドレスからインパクトまでで、スイングの90%が決まる

スイングは①アドレス②テークバック（バックスイング）③トップ④ダウンスイング⑤インパクト⑥フォロースルー⑦フィニッシュ、の7つのパーツに分けられます。そしてこの中でも特に気をつけなければならないのが、アドレスからインパクトの直前まで（グリップ含む）のパート。このパートがいかにうまくできるかで、スイングの良し悪しの90%が決まってしまいます。インパクト直前までをいかにうまく行うかが、スイングづくりの重要なポイントです。

アドレス 2

スタンス

ボールをつかまえやすい、クローズドスタンスがおすすめ！

クローズドスタンスの構え

肩と腰を目標方向と平行に！
腰と肩のラインはターゲットラインと平行にする。スタンスと平行にしてはいけない

目標

スタンスのライン

ターゲットラインと平行のライン

ターゲットライン

ボールとターゲットを結ぶ仮想線を引き（これをターゲットラインと呼ぶ）、両足のつま先がターゲットラインに対してどう向くかでスタンスの違いがでる（左の図参照）。おすすめはクローズドスタンス。特にスライスに悩んでいる人は、クローズドスタンスに変えるとボールのつかまりが良くなる。また、最近ではプロの間でもクローズドスタンスが主流となっている。

正しいクローズドスタンスは、スクエアスタンスの体勢から右足を少し後ろに引く。このとき、腰、肩のラインはスクエアスタンスと同様に、ターゲットラインと平行のままにしておき、スタンスだけを右向きにするのがポイント。

スタンスの種類

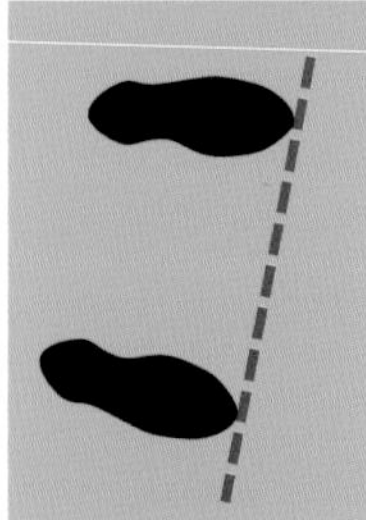

クローズドスタンス
両足のつま先を結んだラインが、目標（ターゲットライン）の右を向くスタンス

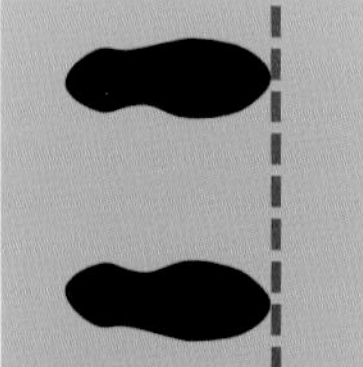

スクエアスタンス
両足、腰、肩の3ラインが、すべてターゲットラインと平行になるスタンス

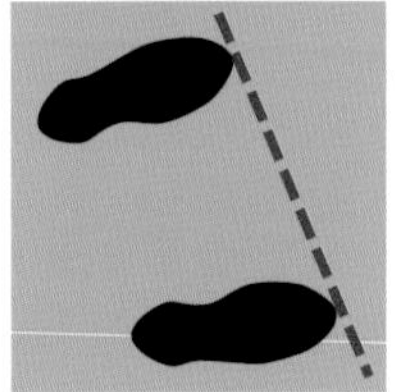

オープンスタンス
両足のつま先を結んだラインが、目標の左を向くスタンス

ワンポイント 現在、USPGAやLPGAでスクエアスタンス、もしくはオープンスタンスにしている人は20%程度。世界的にクローズドスタンスが主流になっている

アドレス❸

体重配分

右足6対左足4の右足体重で構える

ドライバー以外のフェアウェイウッドやアイアンでは、左右均等の体重配分で構える

ドライバーショットの左右の体重配分は、右足6に対して左足4のやや右足体重に構える。アイアンなど、それ以外のショットは右足5対左足5の左右均等の体重配分にする。

また、体重を足全体にかけるのではなく、特に親指の中心にのせるのも大切なポイントだ。

アドレス 4

グリップの位置

グリップエンドが左足股関節を指すように！

グリップの位置の目安は、構えたときにグリップエンドが左足の股関節を指すようにする。ドライバーからアイアンまで、全番手この位置にセットしよう。

番手が短くなるとボールポジションが右寄りになっていくため、徐々にハンドファースト度が強まっていくが、この目安をしっかり守ればグリップの位置がズレることはない。

グリップエンドを左足股関節に向けてセットする際、左ワキを軽く締め、グリップ位置が左右にズレないようにする

全番手ともにグリップエンドが左股関節を指すように構える

ドライバーもアイアンもすべてこの位置をキープする

グリップは右手と左手が段違いにならず、平行になるように握る

グリップエンドが股関節よりも左を指したり、右を指したアドレスではダメ！

アドレス 5

ボールポジション

左足かかとの延長線上にボールをセットする

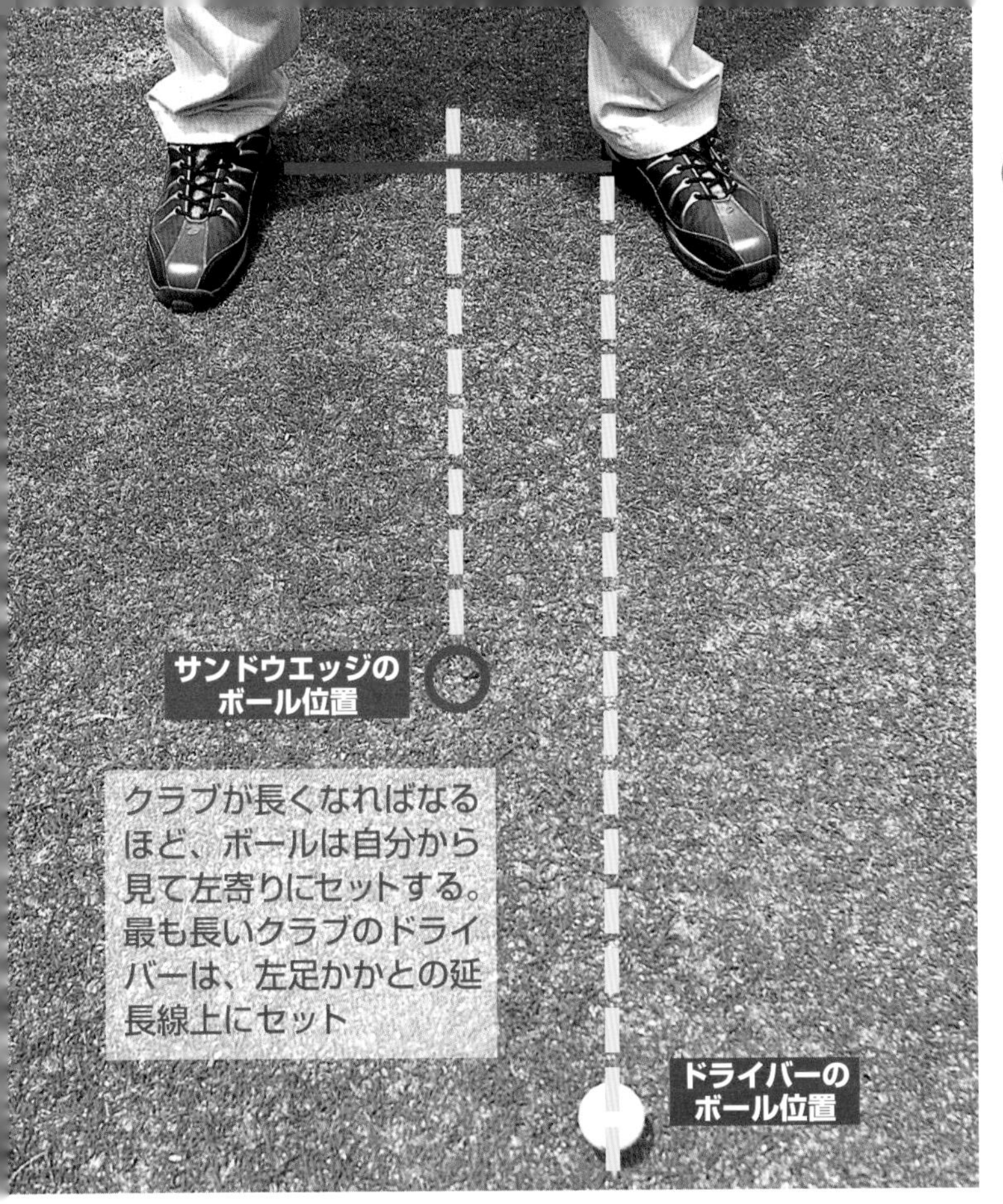

サンドウエッジのボール位置

ドライバーのボール位置

クラブが長くなればなるほど、ボールは自分から見て左寄りにセットする。最も長いクラブのドライバーは、左足かかとの延長線上にセット

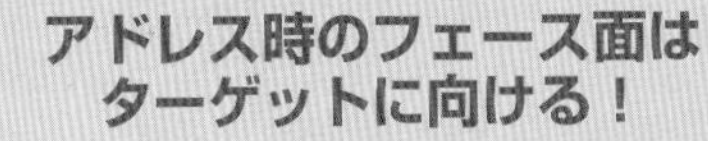

アドレス時のフェース面はターゲットに向ける！

アドレスをしたときは、クラブのフェース面が目標を向くように構える。アドレスの時点でフェースが開いたり、閉じていたのでは、インパクトの瞬間にボールにスクエアにフェースが当てられない。

フェース面が目標方向へ真っ直ぐに向くように！

番手によるボールポジションの違い

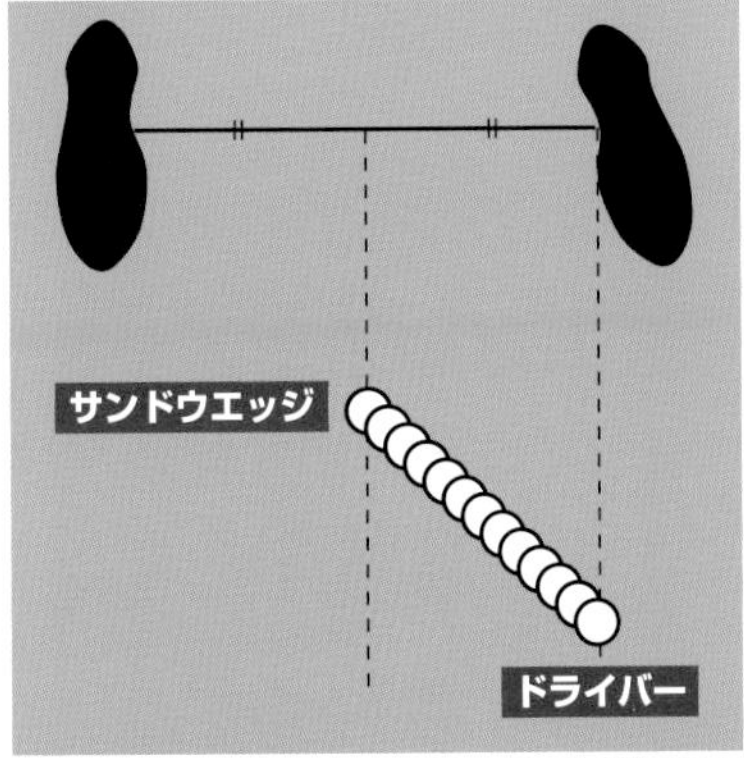

ボールは１番手下がるごとにボール半個分ずつ右足寄りに移動する。また、番手が下がるとクラブが短くなるため、ボールも徐々に体に近づいてくる

スイングの基本・スイングプレーン
ナイスショット間違いなし！正しいスイングプレーンをつくる

理想のスイングプレーンがオンプレーン

オンプレーンとは、ヘッドがプレーンどおりの軌道を通ること。「オンプレーンにヘッドを上げる」という場合、正確なプレーン上にヘッドを上げていくことである

アドレスからフィニッシュまでのクラブの軌跡をたどると、上の写真のような平面ができる。このスイングの軌跡がつくる平面のことをスイングプレーンという。正しいスイングプレーンを描くことは、ドライバーに限らずどのスイングにも重要なポイント。スライスやフックがでるメカニズムも、このスイングプレーンが大きく関係しているのだ。

理想的なスイングプレーンとは、トップでグリップが右肩と頭の中間にあるような状態。正しいプレーンをなぞるようにスイングづくりをすると、正確なスイングができるようになる。

スイング ②

スイングの基本・スイング軌道

最初はインサイド・アウトのスイング軌道をめざそう！

おすすめは、すでに紹介したクローズドスタンスに構え、スイング軌道はインサイド・アウトを目指してほしい。

スイング軌道はダウンスイング時に決まってしまう。この時点でインサイドから下ろされればフォロースルーではアウトサイドに振り抜かれる

4

インパクト時にヘッドが内側から入ってきて、インパクト後に外側に抜けていくスイング軌道。ボールに左方向の回転がかかるため、フック系の球筋になる

インサイド・アウト

目標方向

スイング ③

テークバックI

ヘッドからコックを使ってクラブを上げれば、テークバックは難しくない！

スイング始動は手首を軽く折る意識でコックする

手でクラブを引くのではなく、手首を折ることから始める

P26でスイングプレーンの重要性を紹介したが、オンプレーンの状態をつくるポイントとなるのがテークバックだ。特にテークバック開始直後が大切で、開始直後にスイングプレーンをはずれると修復が難しい。また、たとえ途中で修復できてもスイングが複雑になるため、オンプレーンにはなりにくい。

スイングをオンプレーンにのせるコツは、コックだけを使ってクラブをスッと上げること。このときコックに意識を集中し、体でクラブを上げようとしないこと。コックは方向性さえ間違わなければ、きちんと正しい位置に上げることができる。

※コック／テークバックで手首を折ること。

手が最初につくったアングルからはずれないようにする。正しいスイングプレーンをイメージし、どこにクラブを上げれば良いかを頭に入れテークバックする

手首を折り（コックをし）、素早くヘッドをオンプレーンの状態にする

テークバック始動時に手でクラブを真っすぐにひかない

テークバックⅡ

フェース面を背骨の軸と平行にする!

テークバックでグリップが腰の位置にくるまでに、コックを完成させてヘッドをオンプレーンにのせる。オンプレーンにのせることができたら、体を捻転させて一気にトップまでもっていく

図1

写真のフェース面は、1時30分ぐらいを向いている。時計でいえば12時〜2時がフェース面の向きの許容範囲になる

フェース面は、コックが完成された時点（写真の状態）で背骨の軸と平行になっているのがベスト

フェースが大きく開きすぎ（オープン）

フェースが閉じすぎ（クローズ）

テークバックでコックをするときは、グリップが腰の位置にくるまでに決める。そして、右ページ上の写真のように、コックが完成した時点で、フェースがどの方向を向いているかがポイントになる。

このとき、フェースが大きく開いたり（オープン）、逆に大きく閉じて（クローズ）いると、フェースの向きがインパクト時にアドレス時と大きく変わってミスショットになる。

フェース面はこの時点で背骨の軸と平行になるのがベストだ。ただし、図1のように時計の針の12時から2時の間なら許容範囲になる。

バックスイングで体重移動は意識しない！

バックスイングの大切な動きのひとつに体重移動がある。しかし、この体重移動も意識して体重を右に移そうとすると、右ヒザが流れたり、腰が回り過ぎてしまい、スイングプレーンが崩れてしまうので注意しよう。

体重移動はクラブを右へ振れば自然にできるもの、ぐらいに考えればいい。前傾角度を保って体を捻転させていけば、自然に体重は右足へとのっていくのだ。

体を回そう、体重を右足に移動しよう、と意識し過ぎると腰が回り過ぎてしまう

前傾のまま、肩を水平に回す！

前傾角度を維持しようと意識し過ぎると、体が上下動してしまうミスも出やすい。前傾を保ちながら肩を水平に回すようにするとうまくいく

前傾角度を保ってテークバックすると、上体は前傾しているためトップで頭は右にスライドする。頭をその場に残してテークバックしようとすると、体が左に傾いてしまうので注意しよう

スイング 4

トップ

トップではクラブの先端を目標へ向け、フェース面は空に向けるぐらいの気持ちで

理想としてのトップの状態は以下のとおり。

●トップでフェース面が空を向くぐらいの気持ちで上げる。図1の許容範囲内ならOK。

●トップでクラブの先端が目標方向を向いているのが理想。これにも許容範囲があり、大きく開いたり、クロスしていなければ問題はない。

図1　フェースの向き

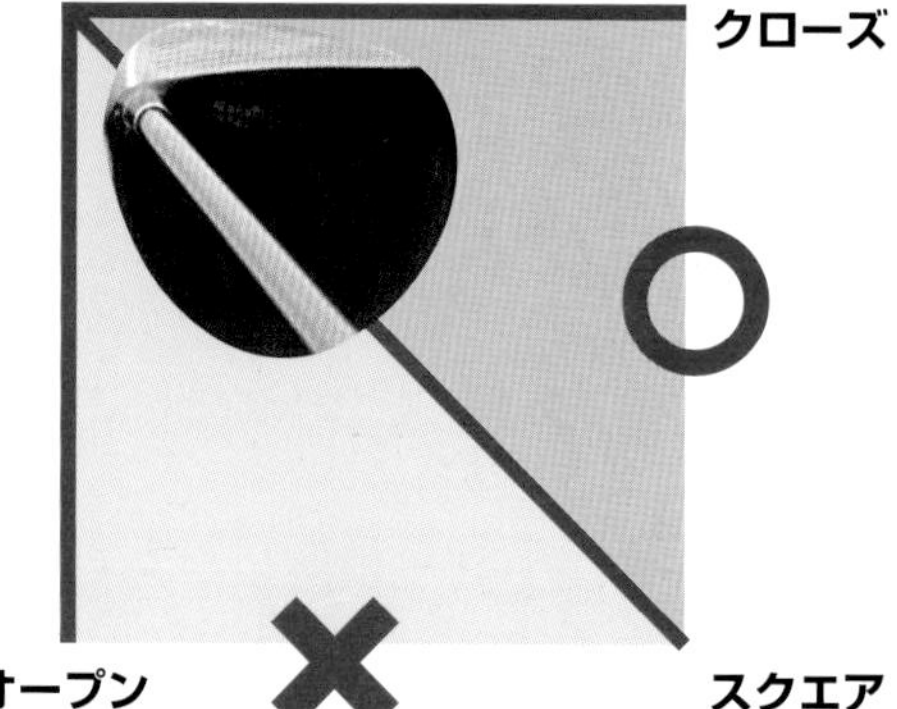

フェースの向き

この写真のようにフェース面が空を向くのがクローズ、これよりもやや斜め下に向くのがスクエアになる。図1のように、クローズとスクエアの間にフェースがあればOK

トップではフェース面が空を向くぐらいの気持ちでOK！

トップでグリップがどの位置におさまれば良いかを、シャドースイングでしっかり確認しておく

正しいトップのチェック法

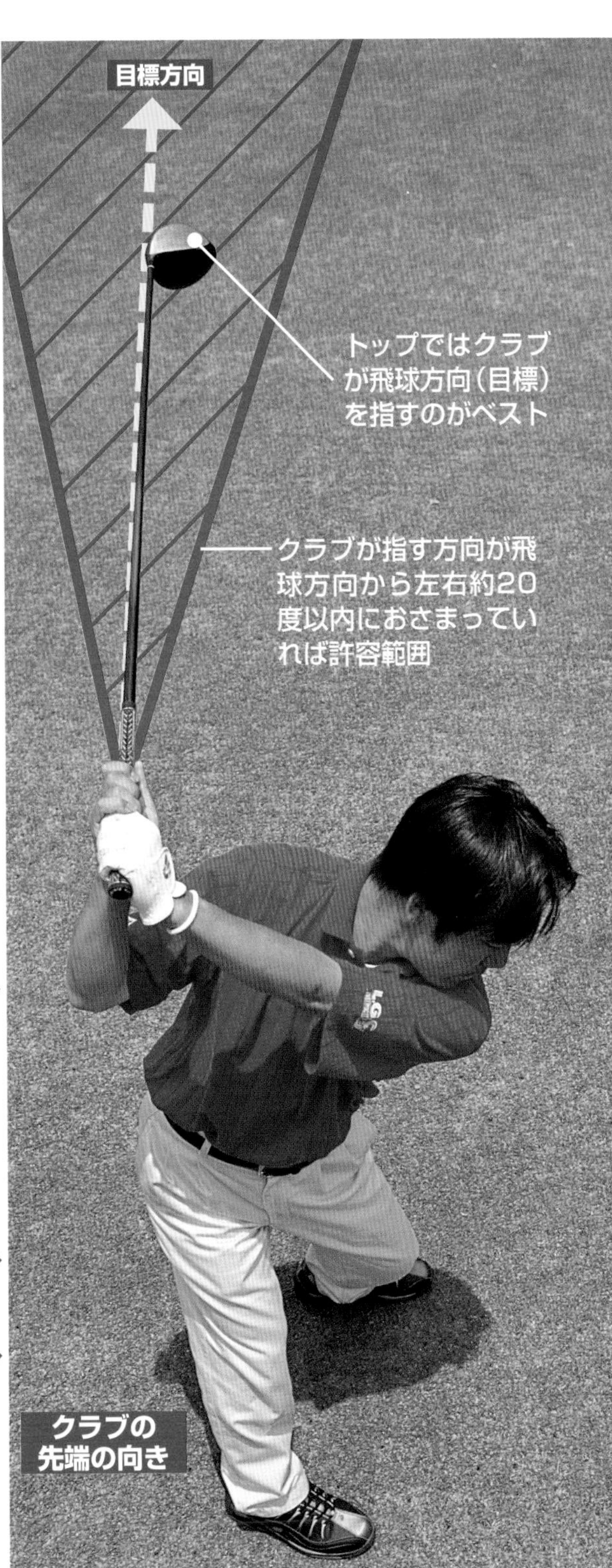

手先でクラブを上げるとオーバースイングになりやすい。またトップでは、コックをゆるめないようにする

クラブが大きく右を向いたり、左を向いてしまったトップは、スイングプレーンが崩れてしまう

トップでのポイント 1

トップでのフェース面の向きで球筋がわかる

アマチュアの場合、トップでフェース面がどこを向いているかで、だいたいの球筋がわかる。トップでオープンフェースの人がスライスになるのがその一例。プロや上級者の場合は、トップでオープンフェースやシャットフェースになっていても、インパクトでフェースをスクエアに戻せてしまう。しかしこれは複雑なスイングになるため、おすすめできない。アマチュアはトップでフェースが空を向くぐらいの気持ちで考えればいい。

トップのフェース面の向きが球筋を決める

トップでのポイント 2

体重が左足に乗ってしまう“リバース・ピボット”に注意する

アベレージゴルファーによく見られる形に、トップで体重が左足にのってしまう“リバース・ピボット”と呼ばれる形がある。リバース・ピボットになる原因は、オーバーターンで腰が回り過ぎるからだ。

この問題を解消するためには、今よりもフックグリップにすればＯＫ。そうするとクラブを上げづらくなるため、腰も回りづらくなる。さらに、トップを無理に深くせず、肩口くらいでトップをおさめるようにすれば、より腰は回りにくくなる。

腰が回り過ぎると、トップで体重が左足にのってしまう、リバース・ピボットになってしまう。肩は無理に深く回そうとせず、肩がアゴの下までくれば十分だ

トップでのポイント 3

トップでグリップがゆるまないよう、スイング中はグリッププレッシャーを変えない

トップでグリップがゆるんでしまう、というケースをよく見かける。特にリバース・ピボットになると、クラブの重さに耐え切れずグリップがゆるみやすくなる。トップでゆるんでしまったグリップは、そのまま打つとインパクトの衝撃に耐えられないためミスショットになる。また、ゆるんだグリップをダウンスイングで再び握り直しインパクトしても、握り直すときにヘッドの向きが変わりやすく、ミスショットになりやすい。

どんなスイングの状態でもグリップをゆるまないようにするには、右手と左手のプレッシャーの強さを同じにし、スイング中にプレッシャー度を変えないようにすればいい。

スイング 5

ダウンスイングⅠ

ダウンスイングで体が開かなければ、タメの効いたショットが打てる！

トップで上体が右にずれ、それとともに頭も右にずれてしまうと、作用・反作用の関係でダウンスイングでは頭が左へずれ、ボールよりも目標方向へ出てしまう

プロとアマチュアのダウンスイングを比較すると、プロはダウンスイングで体が開かない。そのためコックが最後までほどけずインパクト直前でほどかれる。これがいわゆる“タメ”で、タメの効いたスイングゆえに飛ぶのである。

一方多くのアマチュアゴルファーは、ダウンスイングに入ると同時に体が開いてしまう。体が開くとコックも同時にほどけてしまい、インパクトでタメが効かないのである。

タメをつくるためには、トップで内側に入れた左ヒザをアドレスの位置に戻すことを意識してダウンスイングする。手や体の回転を使おうとすると、体は開きやすくなる。

3

ダウンスイングⅡ

ダウンスイングのきっかけは、左ヒザをアドレス時の位置に戻すだけ！

左ヒザをアドレス時の位置に戻すと、クラブは自然に下りてくる

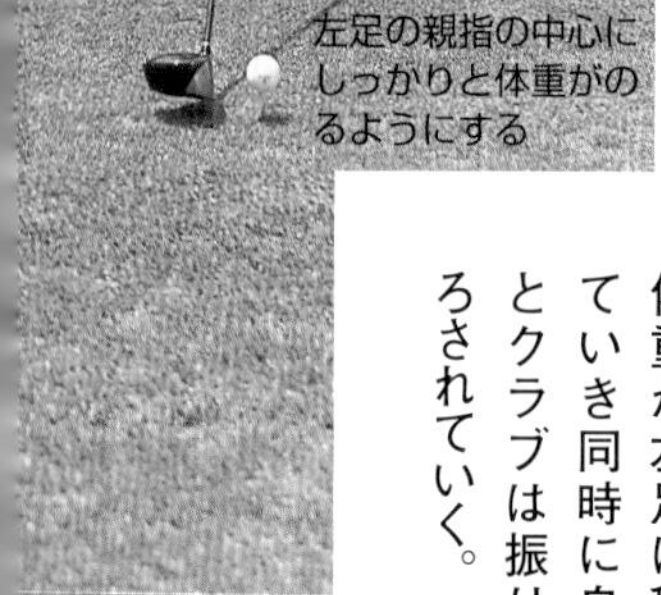

左足の親指の中心にしっかりと体重がのるようにする

ダウンスイングで大切な点は、上げた軌道（テークバックの）と同じ軌道でクラブを下ろすこと。しかし、手でクラブを振り下ろしても同じ軌道に下ろせない。体を機械的に動かして、体の回転主体でクラブを振り下ろさなければならない。

このときポイントとなるのが左ヒザ。左ヒザをダウンスイングに入るきっかけにすると、スムーズな体の動きがとりやすい。トップで内側に入り込んだ左ヒザを、アドレス時にあった位置に戻すと、体重が左足に移っていき同時に自然とクラブは振り下ろされていく。

1
アドレス時の左ヒザの位置に注目。トップでの左ヒザの位置とは明らかに異なるのがわかる

2 ダウンスイングは、「上げた軌道と同じ軌道に下ろす」が大原則！

ダウンスイングでは、左ヒザをアドレスの位置に戻す！

この行為をダウンスイングのきっかけにすると、コックがほどけずにクラブを下ろせる

アウトサイドからクラブが下りると、体重が右に残ってしまう

ダウンスイングからフォロースルーにかけては、体重は右足から左足へ移動していく。このときにうまく左足に体重移動できずに、右足にリバース（体重移動）してしまうアベレージゴルファーが多い。リバースしてしまう原因は、トップで右足に体重がのらず左足にのってしまうため、ダウンスイング時に作用反作用の関係で右足に体重が移動してしまうのだ。これを防ぐには、トップでしっかりと右足に体重をのせるようにする。また、ダウンスイング時の体重移動では、前傾姿勢を維持して右足の内側に体重をのせていくようにする。

体重が右足にのってしまうと、左腰がひけたインパクトになる

スイング 6

インパクト

正確なダウンスイングとフォロースルーを意識すれば、インパクトはうまくいく！

インパクトもトップ同様に意識してつくるものではない。日本人男子アマチュアの平均的なヘッドスピードは40ｍ／ｓ、これを時速に換算すると時速１４４㎞にもなる。このわずかな瞬間をうまくつくるのは無理な話である。

そこでインパクトはあくまで通過点と考え、ダウンスイングとフォロースルーを正しく行えば、インパクトは自然にきれいな形になる。

頭はビハインド・ザ・ボール（ボールよりも目標方向へ出ない）

❸胸は開かずボールを向いている

❷

❶ヘッドはターゲットを向く

理想的なインパクトの形

❶ヘッドがしっかりとターゲットを向いている
❷左足を踏み込んでいる
❸胸は開かずにボールに向いている
❹頭がボールよりも目標方向へ出ていない
❺ヘッドと胸の位置がずれないで揃っている

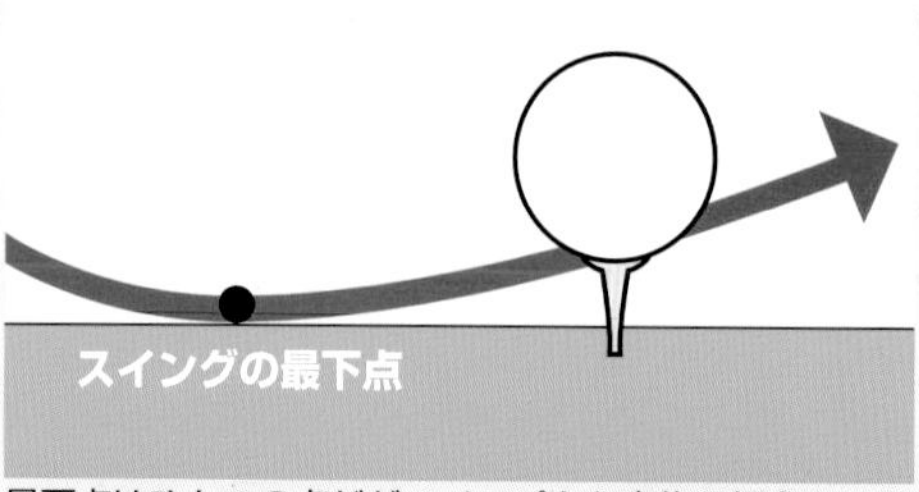

スイングの最下点

最下点はひとつの点だが、インパクト直後の打点というのは複数の点が集まるゾーンになる。点よりもゾーンでボールをとらえるほうが、はるかにやさしいわけだ

多くのアマチュアゴルファーは、コックがリリースして手首が伸びたインパクトになる

内藤雄士のアドバイス

ティアップの利点を最大限活かして、スイングの最下点直後にインパクトする！

ドライバーショットはスイングの最下点直後、つまりスイングが上昇軌道に入った直後にインパクトするのが望ましい形です。最下点後にインパクトするメリットは、

- **最下点という点で当てるよりも、最下点後のゾーンでとらえるほうが当てやすい**
- **最下点後のアッパーの軌道でボールをとらえるとボールが上がりやすい**　など。

また、ティアップは最下点後にインパクトしやすいよう、ボールの下にヘッドが通る空間をつくることにもなります。

ティアップするとボールの下の空間を最大限に利用して打つことができ、アッパーに当たるためボールも上がりやすくなる

ワンポイント　ティアップの高さは自分のスイングに合わせ、最もスイートエリアに当たりやすい高さにすればいい

スイング 7

フォロースルー
手とクラブは胸の前に、グリップエンドは体をさす！

フォロースルーでは手とクラブは胸の前に、グリップエンドは体をさすのが正しい形。この形を維持するようにクラブを振っていく。

また、このとき、手首をリリースしない（手首を返さない）ようにする。フォロースルーで手首をリリースすると、ヘッドが返りすぎて、ひっかけなどのミスが出る。

正しいグリップエンドの向き

グリップエンドがつねに体をさすように！

左足で大地を踏みしめるようにして、左足に体重をのせていく

左足がまくれあがると、左足に体重がのっていかない

手首は意図的に返していかず、体の回転にまかせて自然にリリース（ほどける）する
手とクラブは胸の前に！
左足の内側に体重を“グッ”とのせていく

左ひじを抜いて（曲げて）しまうと手首がほとんど返らず、プッシュアウトなどのミスの原因となる

意図的にコックをリリースすると手首が返り過ぎ、ひっかけなどのミスがでる

スイング 8

フィニッシュ

ハイフィニッシュをとれば、インサイド・アウトの軌道になる

フィニッシュは「バランスよく、しかも大きく振り切る」ことが基本。そしてもうひとつポイントとなるのが、「ハイ（高い）フィニッシュにする」こと。アベレージゴルファーの多くは、アウトサイド・インのスイング軌道を描いている。それゆえにスライスなど、さまざまな弊害が生じているのだ。

しかし、フィニッシュを高い位置におさめるようにスイングすると、ダウンスイングでクラブをインサイドから下ろすようになる。つまり、ハイフィニッシュを意識すると、自然にアウトサイド・インの軌道が矯正されインサイド・アウトの軌道になるのだ。

また、アウトサイド・インの軌道が解消されると、ボールが上がりやすいショットになる。

高い位置にグリップがおさまるようにスイングする

——ハイフィニッシュを意識すれば、自然にインサイド・アウトのスイング軌道になる

肩のラインとシャフトのラインが、平行になるようにする

横から見たフィニッシュの理想形

スッと左足一本で立てる、安定したフィニッシュをつくる

胸はターゲット方向を向く

体重が右足に残ってしまう
いわゆる“明治の大砲”打法は、アベレージゴルファーの典型的なミスの形

クラブがインサイドに引けてしまう
インサイドに引けてしまうと、カット打ちになりスライスになる

左足に体重を90%以上のせきる

スライス矯正法 1

スライスが出るメカニズム

スイング軌道がアウトサイド・イン過ぎればスライスする

アウトサイド・インの軌道はフェードになる

アウトサイド・インの度合いが強過ぎると、フェードではなくスライスになる

多くのアベレージゴルファーが悩まされているスライス。スライスを直すために、なぜスライスになるか、そのメカニズムを理解しておこう。

球筋はスイング軌道で決まる。アウトサイド・インの軌道を描くと「スライス」もしくは「フェード」になり、インサイド・アウトの軌道を描くと「フック」もしくは「ドロー」になる。スライスの原因は、「ヘッドが外から入ってきて内側に抜けていく」アウトサイド・インのスイング軌道を描いてしまうからだ。

ただし、ひとくちにアウトサイド・インといってもその程度はさまざまだ。右ページの写真のスイング軌道を見ると、(あ)を基準にすると、インサイド・インの軌道である(A)(B)はすべてアウトサイド・インの軌道になる。だからといって(A)(B)がすべてスライスになるかというとそうではない。アウトサイド・インの度合いで(A)の軌道ではフェードになり、(B)の軌道ではスライスになる。

球筋の種類と飛び方

①ストレート――左右どちらにも曲がらずにまっすぐ飛ぶ球筋。しかしこの球筋は、きわめて正確にインサイド・インのスイング軌道でヒットしなければ打てないため、最も打つのが難しい球筋。

②スライス――右に大きく曲がっていく球筋。初心者は必ずといってよいほどスライスになり、またベテランになってもなかなか直らない人が多い。多くのゴルファーを悩ませるやっかいな球筋だ。カットに当たることで出る球筋のため、曲がるばかりか飛距離も出ない。

③フック――スライスとは逆に左に大きく曲がっていく球筋。このスイングは巻き込む形で打つため飛距離が出る。しかし飛距離が出て曲がるだけに、OBにもなりやすい。

④フェード――スライスが右に大きく曲がるのに対して、フェードは右に若干曲がる球筋。理想的なフェードとは「ターゲットラインより若干左に打ち出されて、落下に入ってから緩やかに右に弧を描きフェアウェイセンターに落ちる」球筋をいう。ケガが少ない球筋ゆえ、多くのプロゴルファーが持ち球とする。

⑤ドロー――フェードと逆の球筋で、左に若干曲がる球筋。理想的なドローとは「ターゲットラインより若干右に打ち出されて、落下に入ってから緩やかに左に弧を描きフェアウェイセンターに落ちる」球筋だ。飛んで曲がりが少ない球筋のため、多くのアベレージゴルファーが理想とする球筋だ。

以上5種類の主な球筋のほか、右に打ち出されさらに右へ大きく曲がる「プッシュスライス」、左に打ち出されさらに左へと急激に曲がる「ダグフック」という球筋もある。

スライス矯正法 2

内藤式スライス矯正法

逆球のフックを打ってスライスを矯正する

スライスは直せるのか？　結論からいうと、極端なアウトサイド・インの軌道さえ直せばスライスは直る。しかし、極端なアウトサイド・インの原因は人によってさまざまなのである。ざっと上げただけでも、

①ダウンスイングで右肩が突っ込んでしまうため、ヘッドがアウトサイド（外）から下りてきてしまう

②テークバックで体が右にスライドするため、スイング軌道がズレてしまう

③ダウンスイングで左腰が引け、ヘッドがアウトサイドから下りてきてしまう

④テークバックで体が伸び上がるため、ダウンスイングで体が縮みこみ、ヘッドがアウトサイドから下りてきてしまう

などの原因がある。これら原因をひとつひとつ解決するのは難しい。

そこでおすすめしたいのが「逆球を打つ」練習をすることだ。逆球とはスライスと反対の球、フックを打つことである。つまり、スイング軌道をインサイド・アウトに変えることでスライスをなくすのである。

左腰が後ろに引けてしまうなど、スライスの原因は人それぞれ

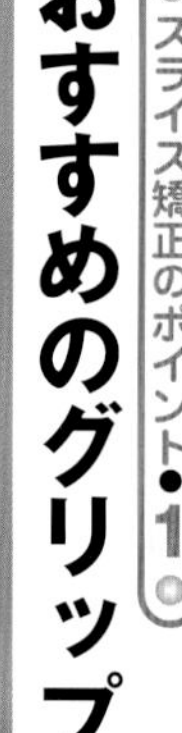

おすすめのグリップ

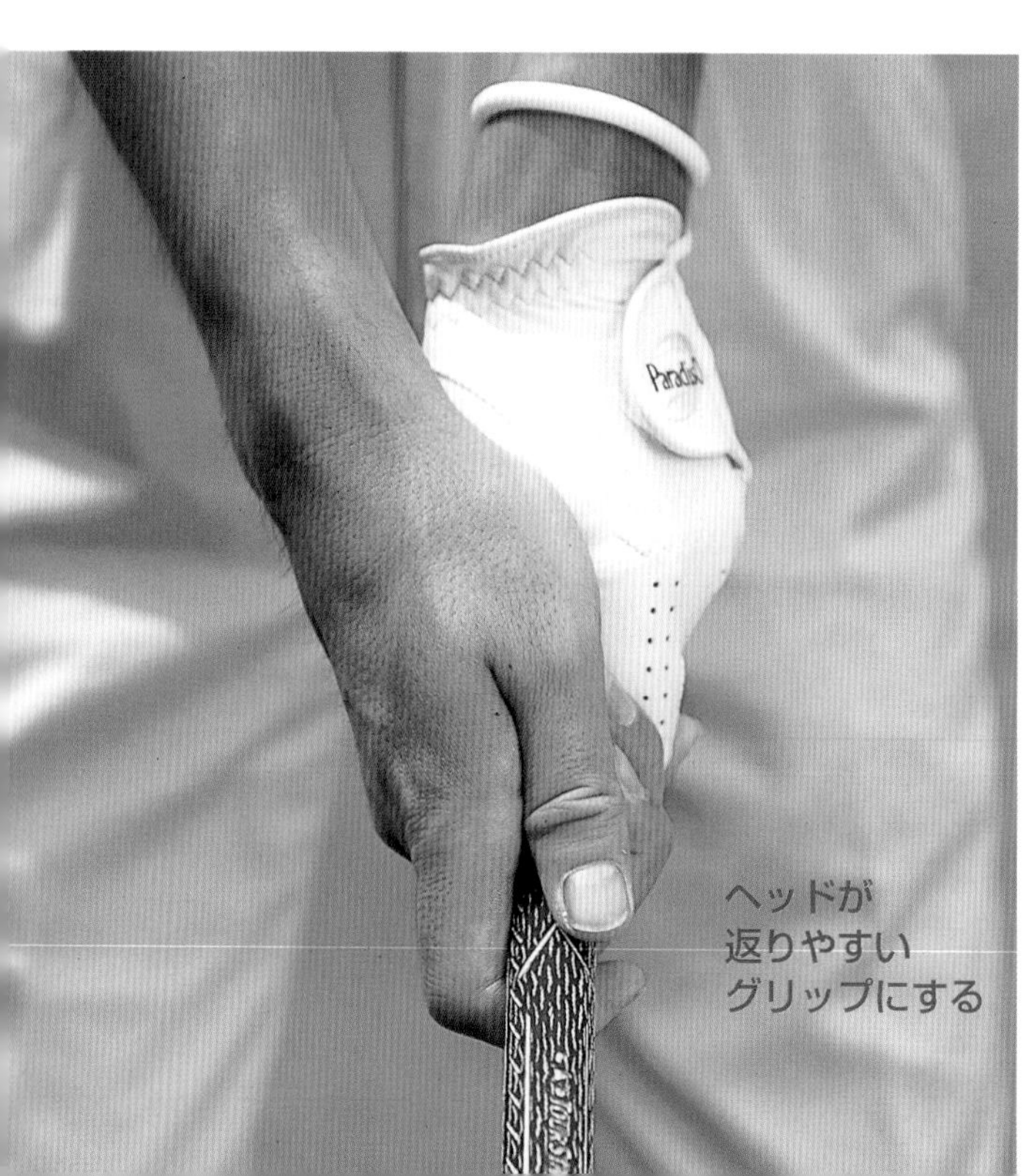

内藤雄士がすすめる！
即効！スライス矯正法

スライスは次の3点を直すだけですぐに矯正できる。その3点とは、

①おすすめのグリップにする

P14で紹介したグリップにする

②思い切りクローズドスタンスに構える

ターゲットラインよりも大きく右を向くクローズドスタンスで構える

③フィニッシュの形を変える

フィニッシュでグリップをおさめる位置を、顔の横に持ってくる。こうすると、フィニッシュは自然とハイフィニッシュになる。

この3点を守れば、テークバックはインサイドに上がり、インサイド・アウトのスイング軌道が描けるようになる。また、フェースもシャットフェースになり、オープンフェースでは上がらないのだ。まずは上記の3点を守りながら素振りを繰り返し、振り方をしっかりと体にインプットしてから、実際にボールを打って練習しよう。

スライス矯正のポイント・3

ハイフィニッシュ

グリップが顔の横におさまるくらいの、高い位置に振り抜く

スライス矯正のポイント・2

クローズドスタンス

ターゲットラインのはるか右を向くくらいまで、極端にクローズドスタンスにする

フェードボールを打つ ドローボールを打つ

フェードとドローはスイングを変えず、構え方だけを変えればOK

フェードボールとドローボールを打ち分けるには、スタンスの向きを変えるだけで他は何も変えない。打ち方も、いつもと同じ打ち方でOK。これだけで、フェードボールとドローボールが打ち分けられるのだ。

なぜスタンスを変えるだけでフェードボールとドローボールになるかというと、スタンスの方向にスイングすれば、それぞれアウトサイド・インとインサイド・アウトの軌道になるからだ。

具体的には、フェードボールはオープンスタンスにして、オープンスタンスの向きに振る。そうすれば、アウトサイド・インのスイング軌道になりフェードがかかる。一方ドローボールは、クローズドスタンスにして、クローズドスタンスの向きに振る。そうすれば、インサイド・アウトのスイング軌道になりドローがかかるのである。

フェード
若干オープンスタンスで構える

ドロー
若干クローズドスタンスで構える

【フェードの打ち方】

①スタンスだけをオープンにする。腰、肩のラインはターゲットラインに対してスクエアのまま。また、フェースの向きもターゲット方向に向ける。

②オープンスタンスの向きにスイングする。結果的にアウトサイド・インの軌道になり、ボールにフェード回転がかかる。

③ボール位置とティアップの高さは変えない。しかしボール位置は、オープンスタンスにする分、スクエアスタンスのときよりも左足寄りになる。

【ドローの打ち方】

①スタンスだけをクローズドにする。腰、肩のラインはターゲットに対してスクエアのままである。また、フェースの向きもターゲット方向に向ける。

②クローズドスタンスの向きにスイングする。結果的にインサイド・アウトの軌道になり、ボールにドロー回転がかかる。

③ボール位置とティアップの高さは変えない。しかしボール位置は、クローズドスタンスにする分、スクエアスタンスのときよりも右足寄りになる。

フェースを閉じたスイングで飛距離が出せる！

飛距離を出すための大切な点は以下のとおり。

①シャットフェースにする

フックグリップでシャットフェースにして構える。

②インサイド・アウトの軌道にする

クローズドスタンスにすればインサイド・アウトの軌道になる。通常、シャットフェースでオンプレーンにすると、インパクトでフェースがかぶってチーピンになってしまう。しかし、ダウンスイングでインサイドから下ろすことができれば、フェースがかぶらずスクエアにヒットできる。

③ハンドファースト・インパクトを心がける

インサイド・アウトの軌道を守るだけでハンドファースト・インパクトになるが、さらにハンドファースト・インパクトを実現するためには、左腕のほうが右腕よりも低くなるように構える

④体重配分は右足7対左足3くらい

おおよそ右足7対左足3の右足体重で構える

この構えのままテークバックで左手の甲が折れないようにクラブを上げていけば、トップでフェース面がシャットフェースになる。さらに、シャットフェースを維持した状態でクラブを下ろしてくれば、ハンドファースト・インパクトの飛ばすスイングができる。

3

ヘッドがシャットになったテークバック

6

ハンドファースト・インパクトで打つ

シャットフェースに構えるとは、フェースを若干かぶせて構えること

ドライバーの飛距離アップに役立つ練習法①

●使用クラブ　ドライバー

●練習方法

①ボールを左足のつま先の前にセットする。
②右足を後ろに引き極端にクローズドに構える。
③右足のかかとを浮かせて、左足に体重のほとんどがかかるようにして、そのままの状態でスイングする。

●効果

極端に右を向いたクローズドスタンスなので、クラブをインサイドから下ろしやすい。また、左サイドに強力なカベができているので、胸も開きにくい。

この練習により球をつかまえて打つ、ということがわかるようになる。さらに下半身が静止しているので、腕の振り方も良くわかる。ドライバーの飛距離アップに効果的な練習法のひとつ。

ボールを左足のつま先の前にセット

右足を引いて、極端にクローズドスタンスにする

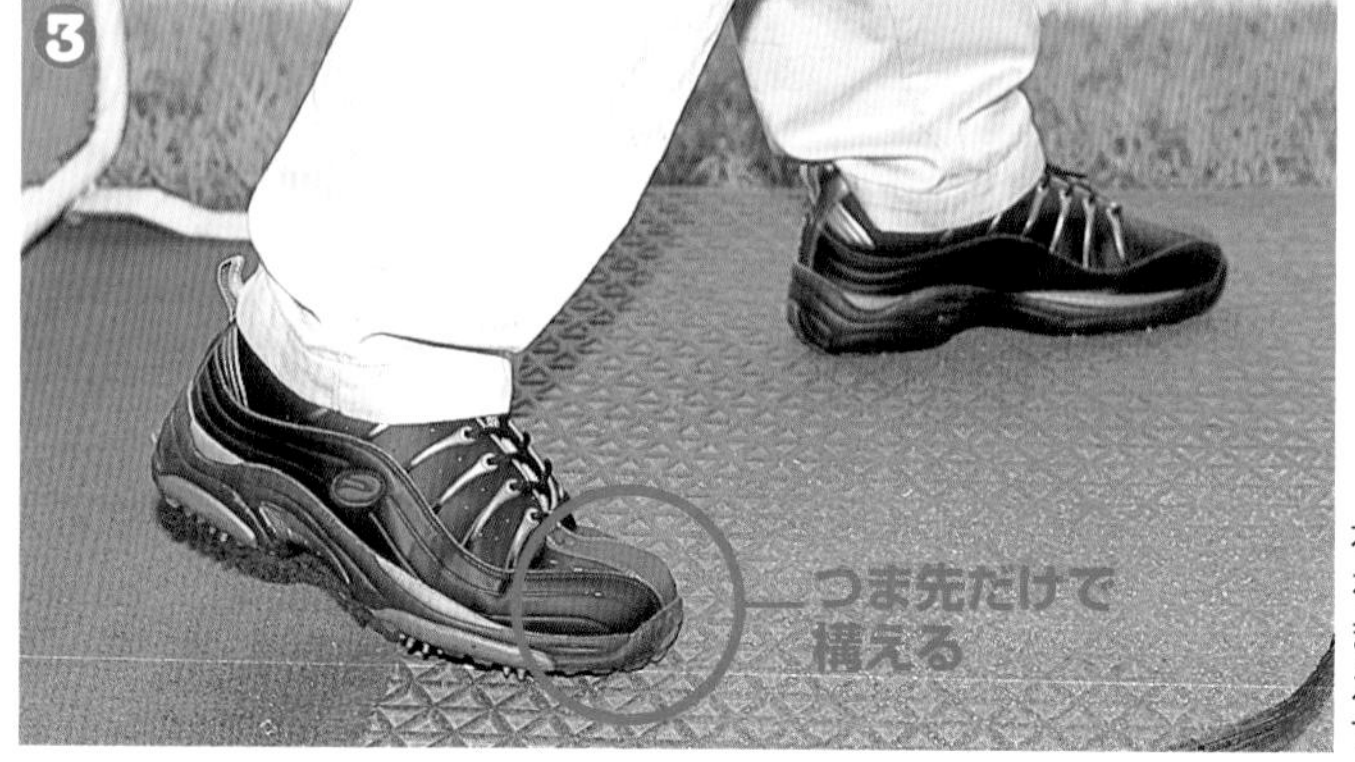

右足はかかとを上げて、つま先だけで構え、スイングする

ドライバーの飛距離アップに役立つ練習法②

ドライバーのヘッドの付け根部分を左手だけで持ち、逆さに構える

ボールを打たずにシャドースイングする

左手１本でフィニッシュをとる

フィニッシュした後で右手を添える。この練習でバランスよく、しかも大きなフィニッシュが身につく

●使用クラブ　ドライバー

●練習方法

①クラブを左手1本で逆さに持ち、その状態でスイングする。

②最後にフィニッシュが決まったところで、右手を添える。

●効果

この練習には、ふたつの効果がある。ひとつは、フィニッシュがバランスよく、しかも大きく取れるようになる。もうひとつは、速く振ることを体感できる。

“ビュン”という風切り音をインパクト後に聞くことができれば、ヘッドは最大速度でインパクトできるのだが、その風切り音のポイントがわかるのだ。この練習もドライバーの飛距離アップにつながる。

フェアウェイウッドの打ち方

ボールの手前からヘッドを滑らせて打つ

ソールを滑らせて払い打つ！
ボールの5cmほど手前から、ソールを滑らせるようにヒットさせる

フェアウェイウッドは低重心でボールが上がりやすいクラブのため、滑らせて打っていっても簡単にボールは上がる

フェアウェイウッドは、広いソールを利用して"払い打つ"感覚でショットする。払い打つとは、ボールの手前5㎝くらいのところから、ヘッドを滑らせるようにするのだ。

うまく滑らせて打つには、

●クラブを短めに持ち、ボールを右寄りにセットする
●体重配分はやや右足寄りにする
●頭をボールよりやや後ろにセットし、頭をインパクトまでしっかり残してスイングする

以上の点に注意してショットすれば、上体が飛球方向へ突っ込まない、払い打つ感覚のショットが打てる。

Self Checkout Receipt
San Mateo Public Library
650-522-78[illegible]

Renew items over the phone
650-638-0399

Access your library account online at
https://smplibrary.bibliocommons.com

Visit the San Mateo Public Library website
at
http://smplibrary.org

Customer ID: *********2973

Items that you checked out

Title:
880-01 Gouzu jatsu book : motto
tobasu! ippatsu de ieru! / kansh Nai Yi[illegible]
ID: 39047074927696
Due: Saturday, October 14, 2017

Total items: 1
Account balance: $0.00
9/23/2017 5:02 PM
Ready for pickup: 0

Thank you for using the San Mateo Public
Library!

Self Checkout Receipt
San Mateo Public Library
650-522-7833

Renew items over the phone:
650-638-0399

Access your library account online at
https://smplibrary.bibliocommons.com

Visit the San Mateo Public Library website at
http://smplibrary.org

Customer ID: **********2973

Items that you checked out

Title:
880-01 Gorufu jtatsu book : motto tobasu! ippatsu de ireru! / kansh Nait Yji.
ID: 39047074927696
Due: Saturday, October 14, 2017

Total items: 1
Account balance: $0.00
9/23/2017 5:02 PM
Ready for pickup: 0

Thank you for using the San Mateo Public Library!

構える時点で頭を右に残し気味にする

○

頭の位置が左にこないように、アドレス時の右足体重の姿勢を保って振り抜く

×

上体が飛球方向へ突っこんでいる

手首をこねたり、返したりしない！

フェアウェイウッドのティショット

ティアップはドライバーに比べて低め

ティショットでフェアウェイウッドを使う状況は、フェアウェイが極端に狭い場合や、OBラインが極端に浅いようなホールです。また、300ヤード前後のミドルホールでも、ツーオンできる距離が十分に出るので、フェアウェイウッドを使うことをおすすめします。

また、ティアップする場合は、スイートエリアにボールが正しくセットされるようティアップします。フェアウェイウッドの厚さにもよりますが、通常のフェアウェイウッドはドライバーよりもフェース厚が薄いため、ドライバーに比べてかなり低いティアップになることも覚えておいてください。

ティアップはドライバーに比べて低めにセットする

このようなOBラインが浅いホールでは、フェアウェイウッドでのティショットがおすすめ

自分の弱点を練習の課題にする！

Q. 内藤さんはプロのコーチですが、アマチュアの方を見る機会もあると思います。そんなときに何か感じることはありますか？

内藤 目的もなく、ただ闇雲にボールを打って「練習した」と満足している人が多いですね。

Q. 目的というのは自分の課題ということですか？

内藤 そうです。やはりアマチュアはプロのように四六時中ゴルフ漬けの生活を送ることはできません。これは言い換えれば、プロよりも圧倒的に練習量が少ない中で上達しなければならない、ということです。この限られた時間で効率よく練習するには、しっかり課題を決めて、その課題をクリアするための練習をする、ということが大切ですね。

Q. 課題はどのように見つければいいのでしょうか？

内藤 アマチュアの場合、だいたいスコアを崩す原因、パターンというものをいくつか持っています。そうしたいつもスコアを崩す原因を冷静に見つけ出してください。人によってドライバーショットかもしれませんし、アプローチからガタガタになる人もいるでしょう。2～3つの原因が見つかったら、その弱点を修正する練習をまずするべきです。

Q. きれいなスイングをつくろう、といった基本的なことにばかり意識がいきがちですが、まず、自分の弱点を修正していけば、スコアが上がってくるということですか？

内藤 そうですね。スイングがきれいなのはいいことですが、スコアが上がらなければ結局はゴルフがつまらなくなります。

アマチュアの場合はいかに楽しむかが、ゴルフをする目的ですから、まずスコアを上げてゴルフが楽しいものだ、ということを実感してほしいですね。少しでも悪い点が直り、スコアが目に見えて上がれば、ゴルフがどんどん楽しいものになるはずです。

2章

グリーンを確実にとらえる！アイアンショット

正確に打てるショットの基本から、傾斜ショットの攻略法まで徹底解説！

ミドルアイアン（正面）
アイアンショットは正確性を第一に！

ドライバーショットが飛距離を第一アドバンテージとするショットであるのに対して、アイアンショットは正確性を第一アドバンテージとして考えるショット。

そのため、飛ばすことを目的とした動きではなく、正確性を重視した体の動きをする。

4 5

9 10

ダウンスイングでも、グリップが体の正面からはずれないようにする

フォロースルー

14 15

体が目標に対して正対するように振り抜く

フィニッシュ

1
2
3
ミドルアイアンのボール位置は、スタンス中央よりやや左寄り
グリップが体の正面からはずれないようにテークバック
アドレス
テークバック
6
7
8
POINT
トップはドライバーよりコンパクトにする
テークバック
トップ
ダウンスイング
11
12
13
フォロー

ミドルアイアン（後方）

テークバックで伸び上がるとミスショットになる

4

5

6

トップで体が伸び上がりやすいので注意！

トップ

10

11

12

フィニッシュ

アイアンショットの典型的なミスといえばダフリとトップだ。ダフリとトップは、ともに体の上下動がその原因。体が沈み込んだときにヒットすればダフるし、逆に伸び上がったときにヒットすればトップする。

　体を上下動させないコツは、テークバックで伸び上がらないこと。体が伸び上がると、作用反作用の関係でダウンスイングで体が沈み込み、フォロースルーで再び伸び上がってしまう。

1　2　3

POINT 上体の前傾角度とヒザの角度を保ったままテークバックする

アドレス　テークバック

7　8　9

ダウンスイング　フォロースルー

アイアンショットの連続写真

ショートアイアン（正面）
ショートアイアンは「ひっかけ」に注意して打つ！

アイアンショットは、番手が下がるほどやさしくなっていく。「ロングアイアン→ミドルアイアン→ショートアイアン」の順にショットがやさしくなっていくが、ショートアイアンはクラブの構造上ヘッドが返りやすいという特性がある。これは言いかえると「ひっかけやすい」ということであり、特にひっかけに注意したショットが必要だ。

5 6 7

12 13 14

ボールを送るイメージでフィニッシュする

フィニッシュ

1
ショートアイアンのボール位置は、ほぼスタンス中央にセット

2

3

4

アドレス

テークバック

8
番手が短くなるほど、トップの位置は浅くなる

9
インパクトまではしっかりとボールを見る

10

11
POINT
ヘッドが返りやすいため、ひっかけないように注意する

トップ

ダウンスイング

フォロースルー

ショートアイアン（後方）

アイアンショットの連続写真

ボールの後ろから目標方向を設定してセットアップ！

アイアンショットで方向性がズレてしまう原因のひとつに、セットアップ時の体の向きがある。

フェアウェイには微妙なアンジュレーションなどがあるため、ティグラウンドに比べてどうしてもセットアップの向きがズレやすいのだ。

必ず、ボールの後方からピン方向を見てターゲットラインを設定し、そのターゲットラインに対して正確に構えるようにする。

1 アドレス

POINT 必ずボールの後方からピンの位置を確認！

日標方向に正確にアドレスをすることを意識する

2 テークバック

3

スイングプレーンが崩れないようにテークバックしていく

7 体が早く起き上がると方向性がズレる！

8 ダウンスイング

9 フォロースルー

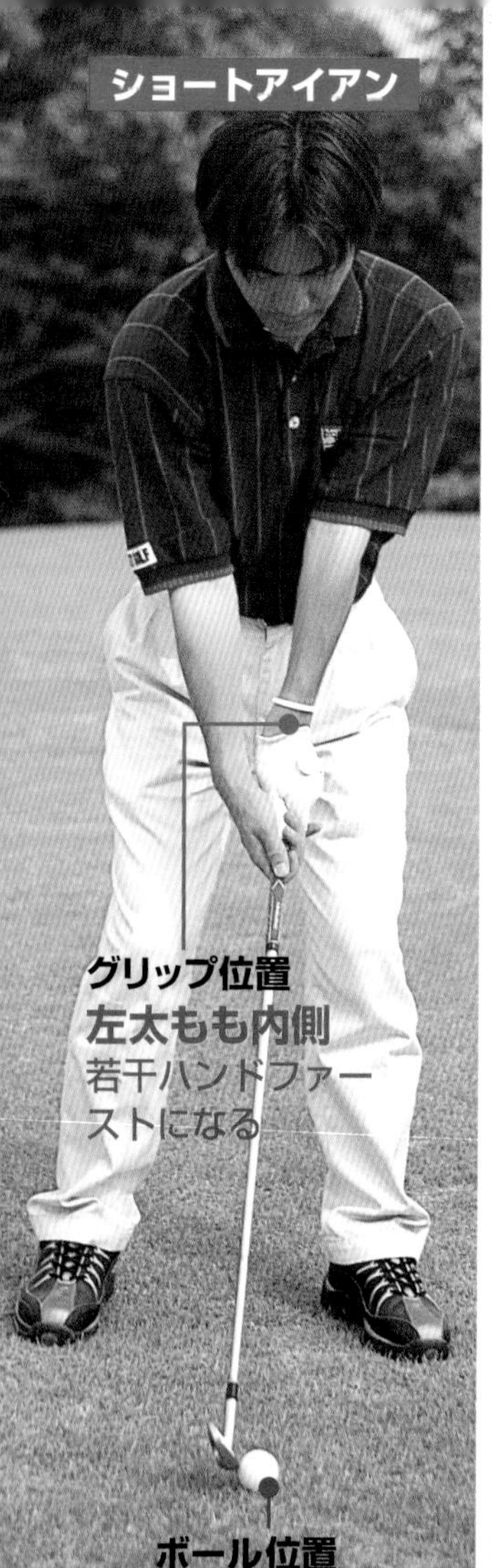

アドレス・グリップ・ボール位置

構える前にターゲットラインを必ず確認！

アイアンショットのアドレスとグリップは、基本的にはドライバーショットと同じである。構えたときにグリップエンドが股関節を指すようにする点も同じだが、ドライバーに比べて番手が短くなってボールが中にくる分だけ、ややハンドファーストになる。

また、アイアンでは目標方向に正確に構えられるよう細心の注意を払う。アドレス地点からではなく、必ずボールの後方に立って、ボールと目標を結ぶターゲットラインを想定し、そのラインに対して平行に構えるようにする。

つまり、ドライバーショットは「飛ばし」を第一アドバンテージとするのに対して、アイアンショットは「距離と方向性」を第一アドバンテージとする正確性重視のショットということです。アイアンのアドレスで慎重にターゲットラインを見るのも、正確性を重視するがゆえなのです。

アイアンは正確性優先、ドライバーは飛ばし優先

ドライバーショットとアイアンショットは、どのような役割分担でショットしたら良いのでしょうか？　ドライバーショットの場合はフェアウェイを狙っていくため、通常230ヤード飛ばす人がたまたま大当たりして250ヤード飛んでもとくに問題はありません。

しかし、アイアンショットでグリーンを狙い、通常６番アイアンで160ヤード飛ぶ人がたまたま大当たりして170ヤード飛んだ場合、ボールはグリーン奥にこぼれてしまいます。アイアンショットは飛び過ぎても、また飛ばなくても具合の悪いショットなのです。

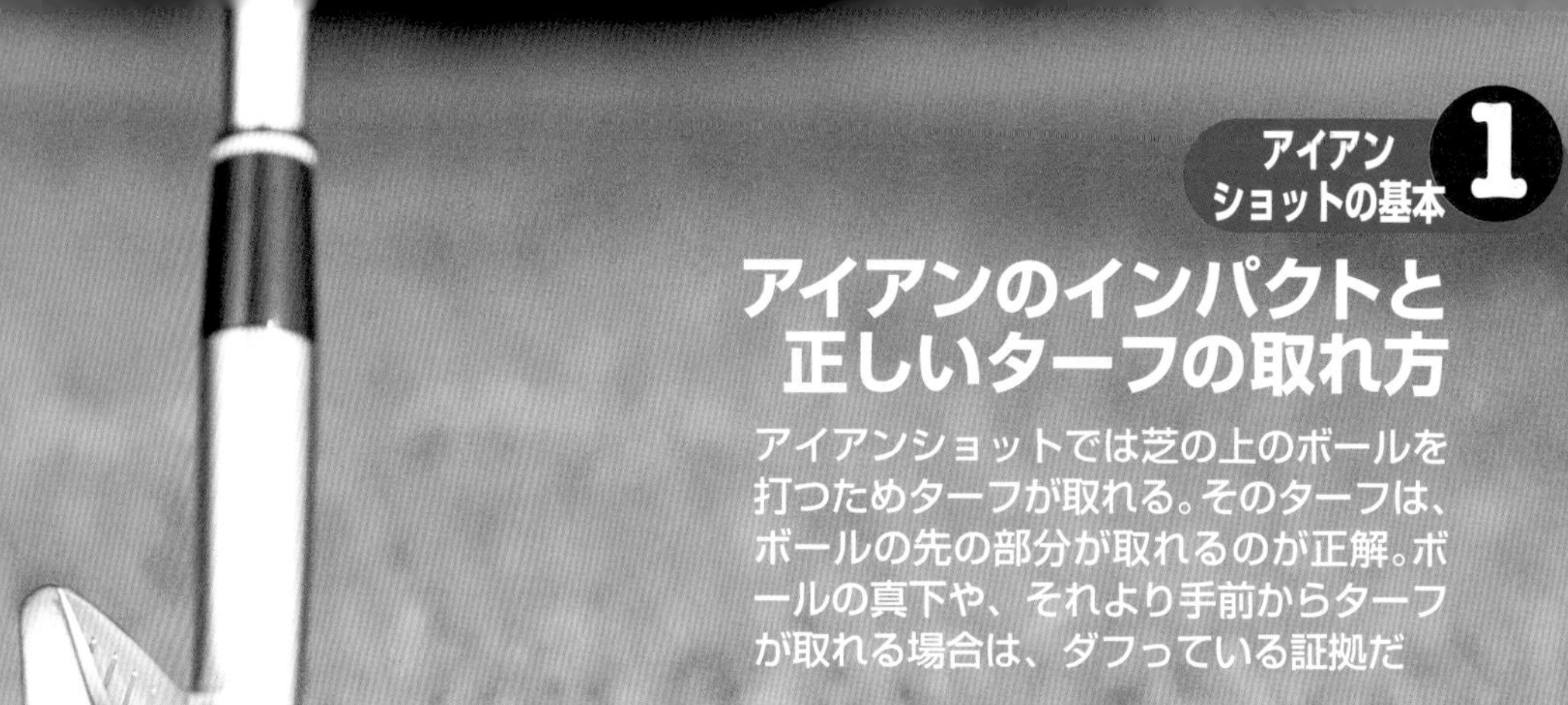

アイアンのインパクトと正しいターフの取れ方

アイアンショットでは芝の上のボールを打つためターフが取れる。そのターフは、ボールの先の部分が取れるのが正解。ボールの真下や、それより手前からターフが取れる場合は、ダフっている証拠だ

アイアンはスイングの最下点直前でインパクトする

アイアンショットのスイングの基本は、基本的にドライバーショットと同じだ。しかし、ひとつだけ異なる点がある。それはインパクトの打点だ。

ドライバーショットの場合はスイングの最下点直後、つまり、ヘッドが上昇していくところでアッパーに打つ。しかしアイアンは、最下点直前でインパクトする。このため、アイアンの場合はボール位置をドライバーよりも右足寄りにセットし、最下点前でインパクトしやすいようにする。

アイアンとドライバーのボール位置の比較

アイアンショットは、ドライバーショットよりもボールを右にセットする
アイアン
ドライバー

いちばん短いサンドウエッジが最も右にボールをセットする番手となる（写真は７番アイアン）

ドライバーのインパクト

ドライバーショットはティアップするため、スイングの最下点後でもインパクトできる。一方、ティアップしていないアイアンショットで最下点後にインパクトを迎えると、ダフってしまう

スイングの軌道

ボールがある位置の前方のターフが取れていれば、きれいにインパクトできている証拠

ボールの後方からターフが取れてしまう打ち方は、ダフっているためミスになる

用語解説 ターフ／芝生

アイアンは、ハンドファーストインパクトになるように！

アイアンショットは、インパクトの瞬間にアドレスの形に戻すようなつもりでスイングする。しかし、アドレスとインパクトでは手の位置が大きく異なることを注意したい。アドレス時には手はボールの真上になるが、インパクト時にはハンドファーストといって、手が大きくスイング方向へ先行する形になるのがアイアンの良いスイングになる。

インパクト

頭の位置
アイアンショットも、頭がボールより前に出てはいけない。ビハインド・ザ・ボールが基本

インパクトの位置
ハンドファーストにインパクトする。ハンドファーストにインパクトするということは、タメが効いたスイングができているということで、ヘッドが加速状態でインパクトすることができる

体重配分
ハンドファーストのインパクトのため、体重はやや左足に移動した状態でのインパクトとなる

アドレス

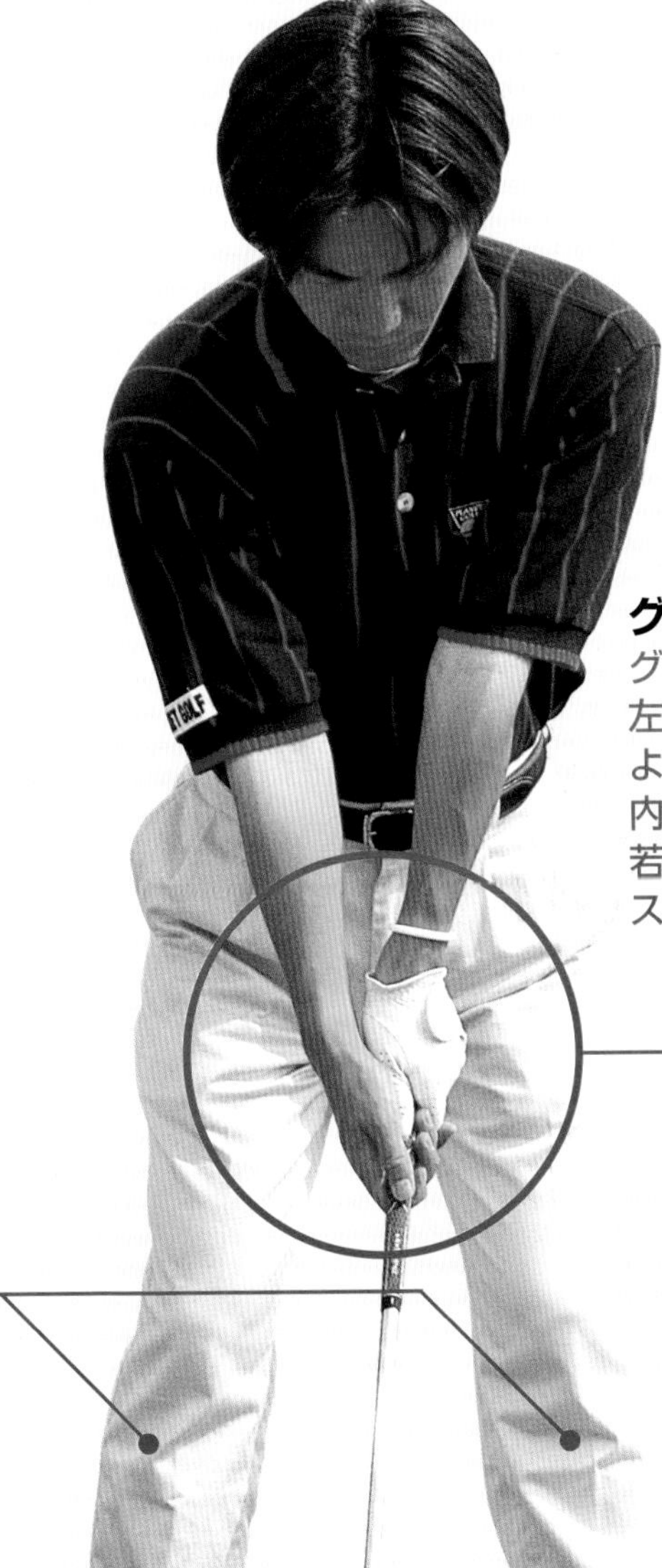

グリップ位置
グリップエンドが左の股関節を指すように。ボールが内側にくる分だけ、若干ハンドファーストになる

体重配分
体重配分は、右足5対左足5の左右均等にする

ボール位置
ボール位置は写真の7番アイアンで、スタンス中央よりやや左足寄りにセットする

アイアンショットの基本 3

コンパクトなトップで体をレベルに回せば、インパクトは正確になる！

アイアンはハンドファーストのインパクトにするのが理想だが、意識してインパクトをつくろうとしてもなかなかうまくいかない。よりインパクトを正確にするには以下の点に注意する。

●スイングをコンパクトにする

飛ばすクラブであるドライバーは最大限に上体を回し込むが、コントロール重視のアイアンの場合は、トップでクラブを目いっぱい振り上げないようにする。80%くらいのコンパクトなトップをつくる形でいい。

●レベルにスイングする

スイング時に肩を背骨に対して垂直に回転させるようにして、体の上下動をおさえることが大切。レベルにうまく回すためには、軸を意識して軸ブレしないよう体を回転させていく。

肩は回せるところまででOK
それ以上回そうと無理すると、オーバースイングになってしまう

手打ちにならないためのポイント

腕と肩がつくる三角形が崩れないようにスイングすると、手が先行することはない

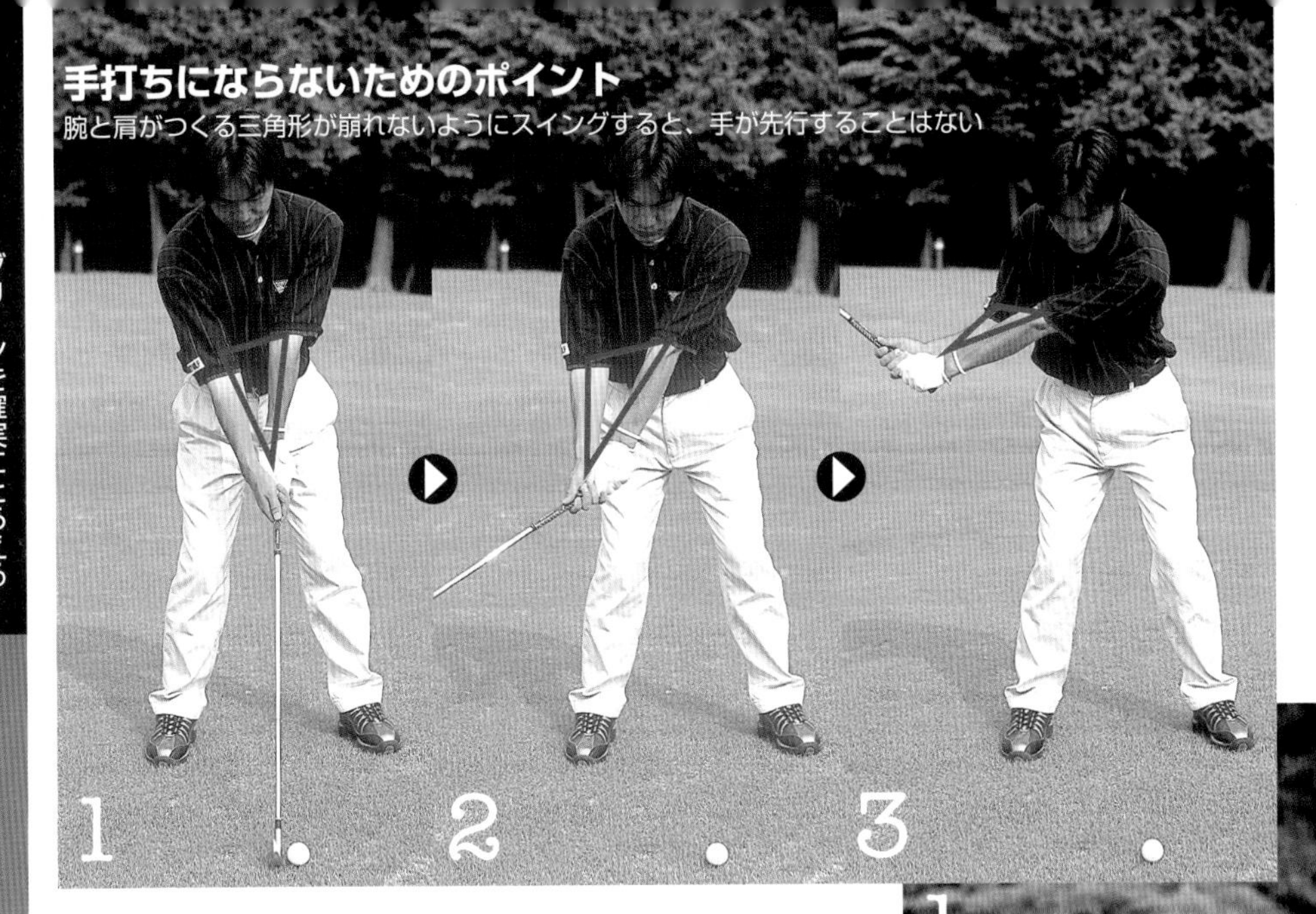

1 2 3

トップで伸び上がった体は、ダウンスイングで沈み込むのでダフリやトップの原因になる

オーバースイングになると、トップで体が伸び上がってしまう

スイング軸が定まっていないと、体がスエーしてしまう

手と体が常にいっしょに動くよう意識し、前傾角度を変えずに肩を水平に回転させていく

用語解説

スエー／スイング中に体が左右に動いてしまうこと

ロングアイアンを打ちこなす

右足体重で構え、打点を少し高くしてスイング

2

3 ヘッドスピードが上がるよう、大きなフィニッシュでしっかりと振り切る

ロングアイアンは、ヘッドスピードが42〜43m／s以上ないと打ちこなせない。プロゴルファーでも、きちんとロングアイアンを打てる人は少ないぐらい難しいショットだ。

一般男子アマチュアの平均ヘッドスピードは40m／s前後。このヘッドスピードでロングアイアンを打っても、浮力がつかないのでボールは上がりづらい。無理にボールを上げようとすると失敗するので、上げようという意識を捨ててスイングすることをすすめる。うまく打つ具体的なポイントは以下の3点だ。

●右足6対左足4の右足体重で構える

右足体重にすることでボールが上がりやすくする。

●シャローに当てる

ボールにクラブを薄く当て

右足体重で構える！

右足６、左足４の右足体重で構え、ボールが上がりやすいアドレスをとる

ダフらないよう、打点を少しだけ高くする

ロングアイアンはソールが薄いため、厚めに打ちに行くとダフってしまう

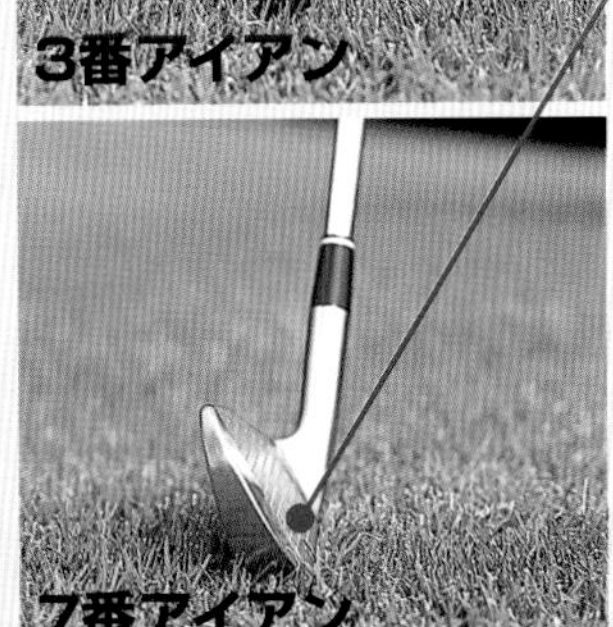

無理に上げようとせず、自然にスイングすればロフトなりの弾道になる

3番アイアンは7番に比べてロフトが立っているため、ボールが上がりにくい

るようにする。ロングアイアンはソールが薄い（狭い）ため、少しでも厚く当たるとダフってしまう。そこで、いつもより少し打点を高くしてトップめに打つ。しかし、打点が高くなり過ぎるとトップしてしまうので、技術的には難しい技である。

●大きなフィニッシュをとる

しっかり振り切っていくことで、ヘッドスピードをアップさせる。

手首を返し過ぎず、フォローで クラブが立つようにショットする

4

5

体重を スムーズに移す

体重を右に残さずに左にスムーズに移動していくと、手が先行するミスがなくなり手首も返り過ぎない

フォローではクラブが立つ

このようにフォローでスッとクラブが立つようになるのが正しい形。この段階でクラブが寝てしまったり、逆に開いてしまうとボールがうまくコントロールできない

アイアンのミスショットには、ボールの左右のブレだけでなく前後のブレもある。

アイアンショットを正確にコントロールするためには、手首の返し（リストターン）がポイントとなる。フォローでの手首の返しが大き過ぎるとボールが曲がりやすくなったり、飛び過ぎたりしてしまうのだ。

手首は無理に返そうとせず、体の回転主体でスイングをして自然体で手首が返るようにしよう。

手首を無理やり返そうとすると、手首は必要以上に返ってしまい、ひっかけやダフリ、さらには飛び過ぎのミスがでる

特に多いのがダウンスイングから手が先行してしまうケース。手からクラブを下ろさず、体の回転でスイングし、手は常に体の幅からはずれないようにする

フォローは"ボールを運ぶ"つもりで

ボールを運ぶような意識でフォローをとると、手首は大きく返らず正確にボールが飛んでいく

傾斜からのショット 1

傾斜全体

上体は重力に対して垂直に、両ヒザのラインは斜面と平行に！

腰から上の上体は、平面で立っているときと同じく、重力に対して垂直に構える

両ヒザのラインを斜面と平行にする

重力の方向

地面

傾斜が小さければ特別なショットは必要ないが、傾斜が大きい場合は足場が悪くなるためバランスが崩れやすい。そこで"バランス良くスイングする"ための工夫をしなければならない。

斜面は状況別に4つのタイプに分けられるが、それらすべてに共通した構え方、打ち方が以下の2点だ。

●上体は重力と垂直に。両ヒザのラインは斜面と平行に構える

●コンパクトなスイングをする

足場が悪いため、大振りをするとバランスを崩しミスショットの原因になる。

上体が重力に垂直になっていない
重力の方向
右足体重で構えない

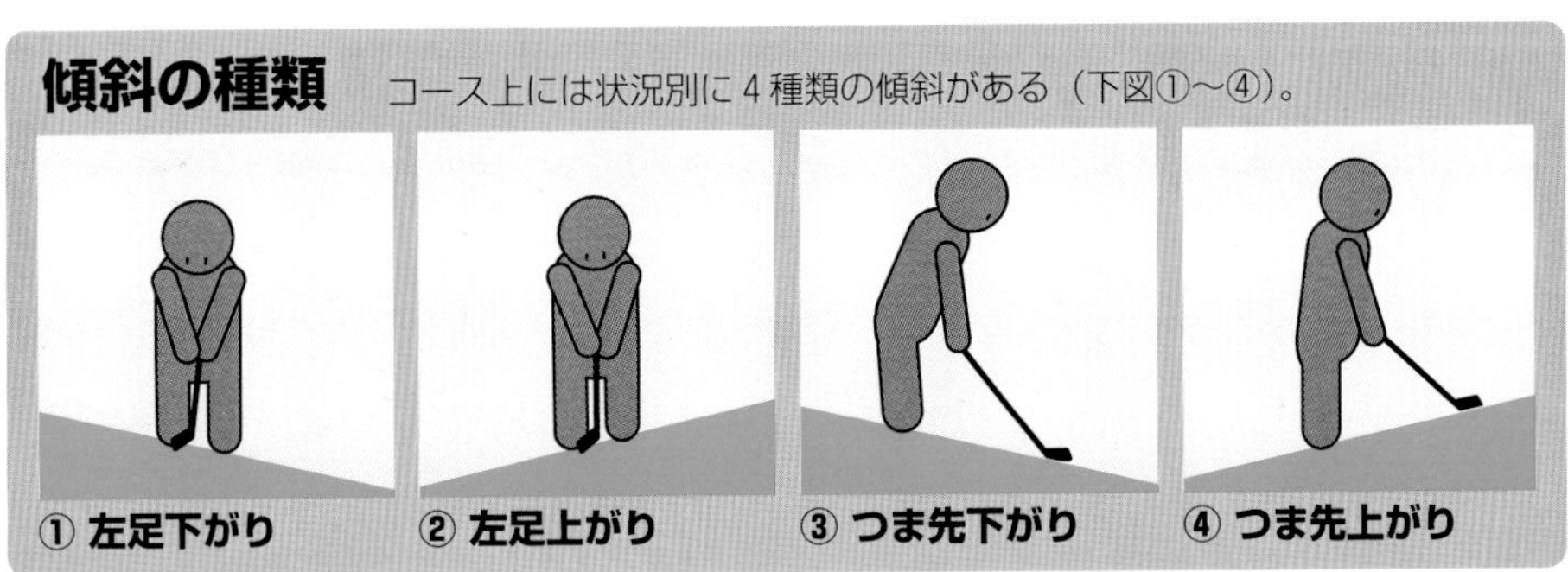

傾斜の種類
コース上には状況別に4種類の傾斜がある（下図①〜④）。
① 左足下がり
② 左足上がり
③ つま先下がり
④ つま先上がり

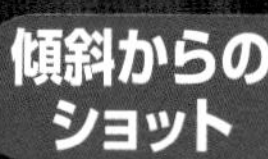

左足下がり
はじめにつくった、体重配分を変えずにスイングする

グリップは短く持ったほうがクラブを扱いやすい

ボール位置は通常のショットよりも右足寄りにセットする

左足下がりは難しいライで、プロでもボールが浮きにくい。ボールを右足寄りに置き、体重移動をあまりしないようにスイングする。また、左足下がりは目標が打つ地点よりも下にあるケースが多いので、うまくランを利用して打つなどの工夫をする

体重配分は左足だが右足にもかける

体重配分 **左足に**

グリップ **短く持つ**

ボール位置 **右寄り**

スイング **コンパクト**

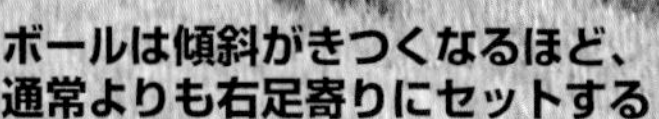

ボールは傾斜がきつくなるほど、通常よりも右足寄りにセットする

斜面ではスイングの最下点前でインパクトするので、ボール位置が左過ぎるとクラブが届かずトップしてしまう。また、アウトサイド・インの軌道でヒットしやすいため、球筋がスライスになりやすいことも注意しよう

左足下がりの斜面でのポイントは以下のとおり。

●体重配分は左足だが、右足にもかける意識をもつ

●ボール位置は通常より右足寄り

傾斜の角度がきつくなればなるほど、右足寄りにしていく。

●グリップはコンパクトにスイングするため短く持つ

●打ち方は左右均等の体重配分をキープして、あまり体重移動せずに体を回す

テークバックで体重を右に大きく移さず、前傾姿勢を変えないように上体の回転主体でスイングする。

●フィニッシュは大きくとらない

フィニッシュを大きくとろうとするとバランスを崩すので、その場でクルッと体を回すような感じにする。

斜面に逆らわずに斜面なりにスイングする。ボールが上がりにくいライだが、絶対に無理に上げようとしてはいけない。無理に上げようとするとスイング軸がブレてミスショットになる。ロフトを信じて振れば、ボールは必ず上がる

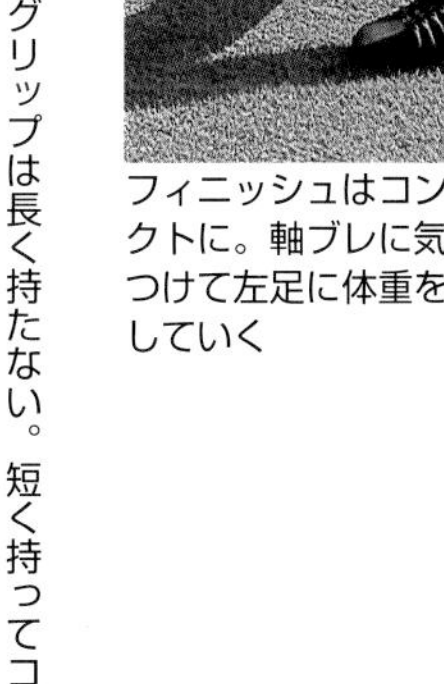

フィニッシュはコンパクトに。軸ブレに気をつけて左足に体重を移していく

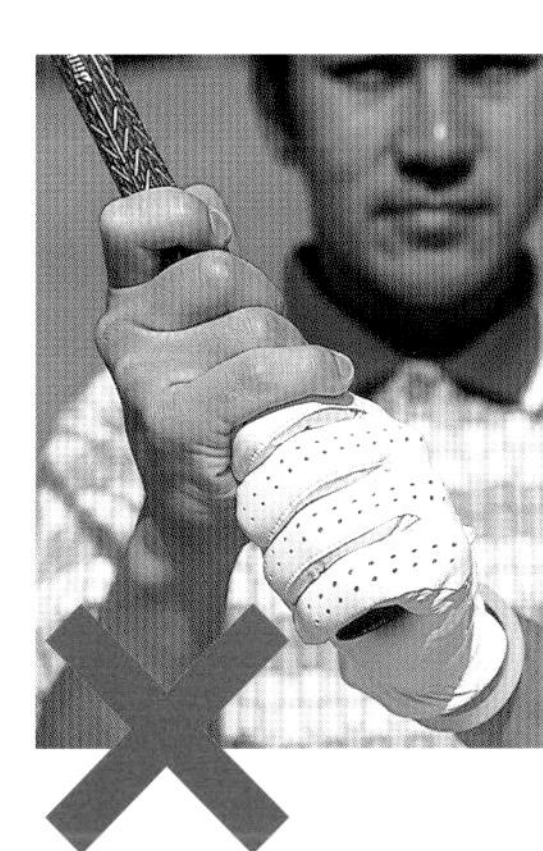

グリップは長く持たない。短く持ってコンパクトに振る

大きく振り切らない。スイング軸がブレやすくなる

傾斜からのショット 3

左足上がり フィニッシュは小さく、「当てて終わり」の気持ちで

左足下がりに比べると左足上がりは、ボールも上がりやすく攻略しやすい斜面だ

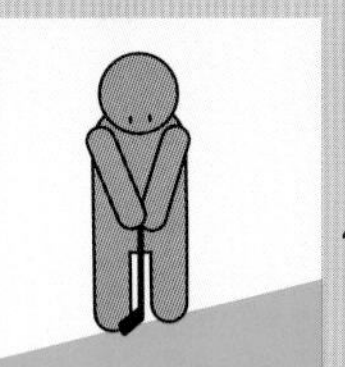

体重配分 **右足に**

グリップ **やや短く**

ボール位置 **右寄り**

スイング **コンパクト**

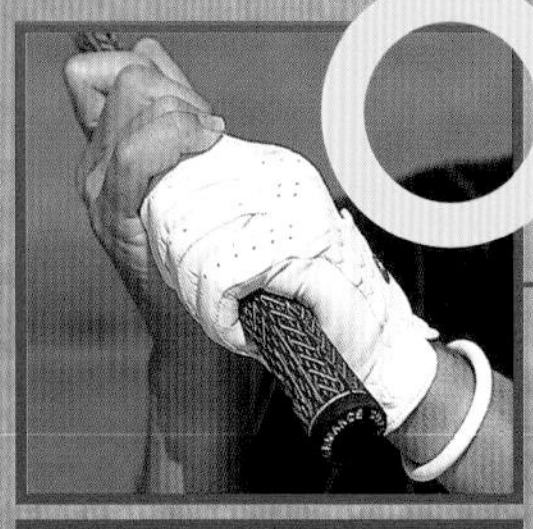

グリップはやや短く持つ

右足の体重配分だが、左足にもかける

インサイド・アウトの軌道でヒットし、フックになりやすいので注意！

ボール位置は右足寄り

左足上がりの斜面でのポイントは以下のとおり。

●ボール位置は通常より右足寄りにセットする
●コンパクトにスイングする
●フィニッシュは「当てて終わり」という感じでOK

左足上がりの傾斜の場合、打ち上げていくケースがほとんどなので、ついボールを上げたくなってしまう。

しかし、ライ自体ボールが上がりやすいため、自然にボールは上がるのだ。無理にボールを上げようとすると、ダウンスイングで重心が右に傾き、ダフリやトップの原因になるので注意しよう。

1
2

ダウンスイングからフォローで、手首を返し過ぎない！

左足上がり斜面でのショートアイアンは、必要以上に手首が返ると「ひっかけ」てしまう。ダウンスイングからフォロースルーで手首が返り過ぎないように

大振りすると軸がブレ、バランスが崩れてしまう

構えはいつも重力方向に垂直に。重力に逆らって構えるとスイングがしづらい

傾斜からのショット 4

つま先下がり
ヒザを深く曲げて重心を下げ、体が起きないように振る

体重配分 左右均等

グリップ 長く持つ

ボール位置 スタンス中央

スイング コンパクト

●重心を下げたまま、前傾角度を変えないでスイングする

スイングしたときに体が起きないよう、そのままの低い重心で振る。

つま先下がりは基本的にスライスになりやすいライだ。しかし、スライスを避けようとして無理に手首を返してしまうと、打ち出し角が左になって「ひっかけ」てしまうので注意しよう。

つま先下がりでのポイントは以下のとおり。

●スタンスを広くとり、ヒザを深く曲げて重心を下げて構える

ボールが下にあるからといって、前傾角度を深くして構えてはダメ。重心を下げずに前傾角度だけを深くしてしまうと、バランスのとりにくいアドレスになる。

●グリップは長めに持つ

ボールが遠くにあるため、グリップを短く持つとヘッドが届かない。

スイング中に体がボール側に落ちやすいので、腰を落として重心を下げる

前傾角度を維持したまま、コンパクトに振り切る！

低い重心のまま、体が起きないようにしてスイングする

腰を浮かして構えない！

腰を落とすといっても、及び腰ではダメ！

上体の開きが早いとシャンクもでてしまう

グリップは長めに持つ！
めいっぱい長く持つとグリップがゆるみやすくなるので、写真のように少し余した長さにする

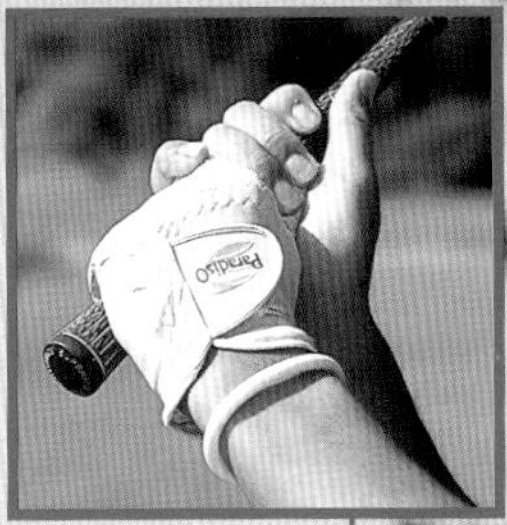

ボール位置はスタンス中央

上
下

体重配分は左右均等

無理にボールを上げようとしない！

スライスしやすいライのため、ボールが上がりにくい。無理に上げようとせず、ロフトを信じて振る

傾斜からのショット 5

つま先上がり グリップを短く持ち、コンパクトに振り切る！

グリップを持つ長さは傾斜の度合いによって変える

傾斜が大きいときは、写真のようにかなり短く持つ

インサイドからのダウンスイングにならないように！

クラブがインサイドから下りてくると、フェースが開きやすいので最悪シャンクになる。また、ヘッドが返りやすいライでもあるため「ひっかけ」にも注意するつま先上がりでのポイントは以下のとおり。

●スタンスはやや広くし、両ヒザを内側に軽く折り曲げるように構える

足の内側で体重を受け止めるようにする。ボールが高い位置にあるため、傾斜の角度に応じて前傾角度を浅くして立ち気味に構える。

●ボール位置はスタンスの中央

●グリップは短く持つ

傾斜がきつくなるにつれて短く持つようにする。

●スイングは前傾角度を保ったまま、コンパクトに振り切る

振り切らずに当てにいくと手打ちになるため、スイング軌道がズレやすくなる。振り切るほうが体の回転主体で打てるため、オンプレーンのスイングができる。

前傾角度を保ったままで、上半身中心にスイングする。ボールは無理に上げようとしない

1 2 3

4 5

ひっかけやすいライのため、手首が返らないように打つ！

グリップは長く持たない！

体が開きやすいので、最悪シャンクのミスもでる

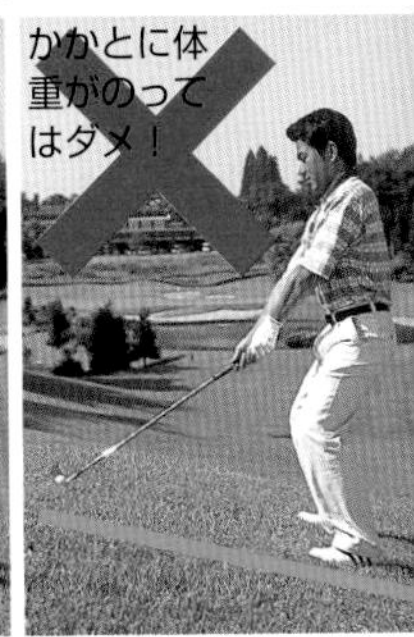

かかとに体重がのってはダメ！

ボールがフェース面をかけ上がるよう、鋭角にヘッドを入れる

スピンをかける

ボールがフェース面をかけ上がっていくことで、ボールに強いスピンがかかる

ボールの赤道が溝の4本目より下から当たるようにする

フェース面の上にボールが当たったのでは、スピンはかからない。きっちりとリーディングエッジからボールに当たっていくようにインパクトする

スピンをかけるためには、フェースをボールにきっちりと入れていかなければならない。つまりボールの赤道と地面との間に、きっちりとヘッドが入るよう打つのだ。そうすればフェース面をボールがかけ上がっていき、ボールに回転がかけられてスピンがかかる。

また、インパクト時にクラブヘッドがボールに対して振り下ろされる角度（入射角）もポイントとなる。入射角が鈍角過ぎると、ボールは勢い良くフェース面をかけ上がらない。鋭角的に、より上からヘッドを入れていくようにしよう。

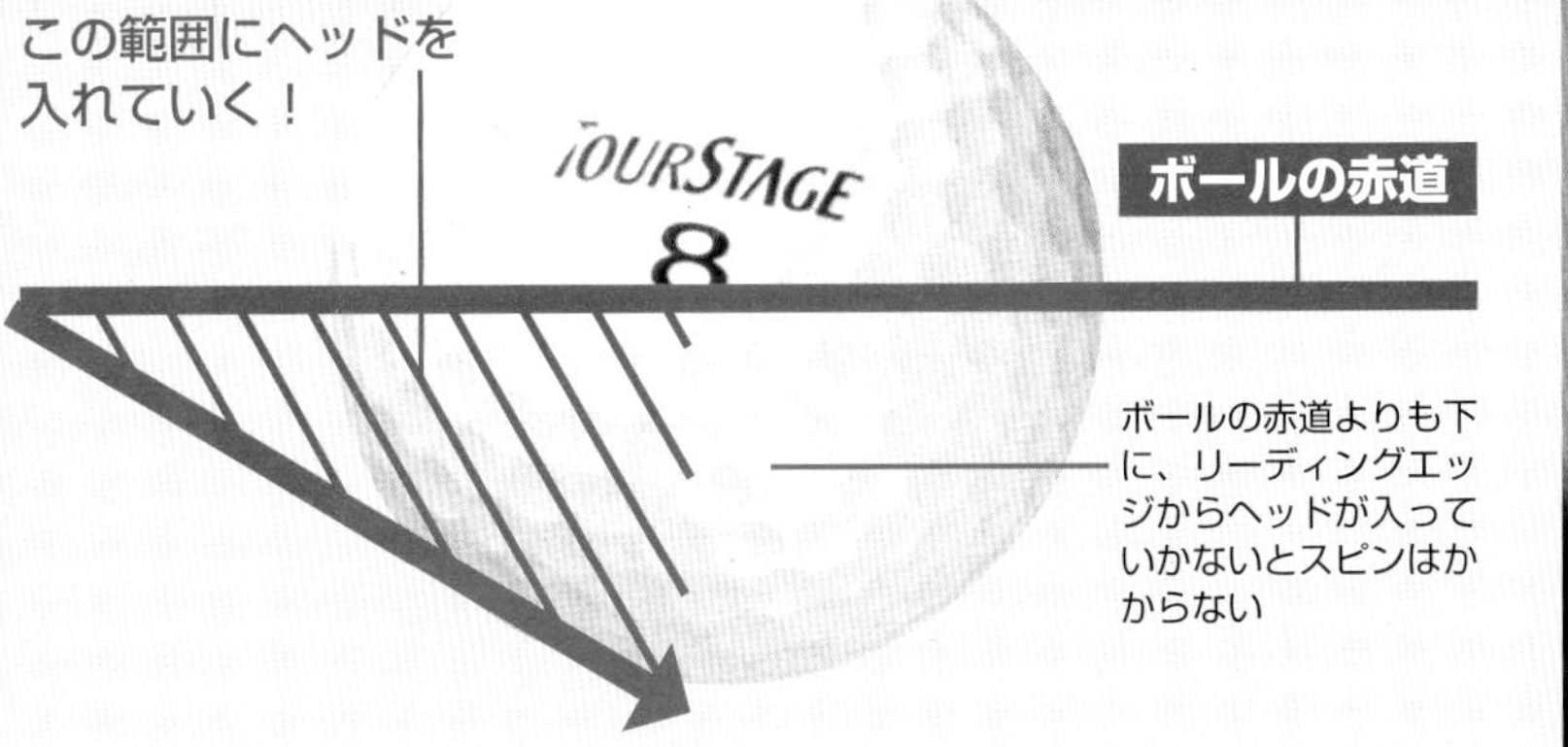

スピンをかけるには、どう打つかだけではなく、ボールがどのような状態にあるかも重要なポイントとなる。第一の条件はフェアウェイにあること。ラフではスピンはあきらめたほうが良い。また、芝やボールが濡れているときはスピンがかかりにくくなる

全番手の飛距離アップに役立つ練習法

練習法3

●使用クラブ　サンドウエッジ～5番アイアン

●練習方法

①テークバック直後にコックを完成させる。
②完成したコックの形を維持したままでボールを打つ。

●効果

コックを完成したままで打つと、ハンドファーストのインパクトが体感できる。これが強くインパクトする練習になり、飛距離アップに役立つ。

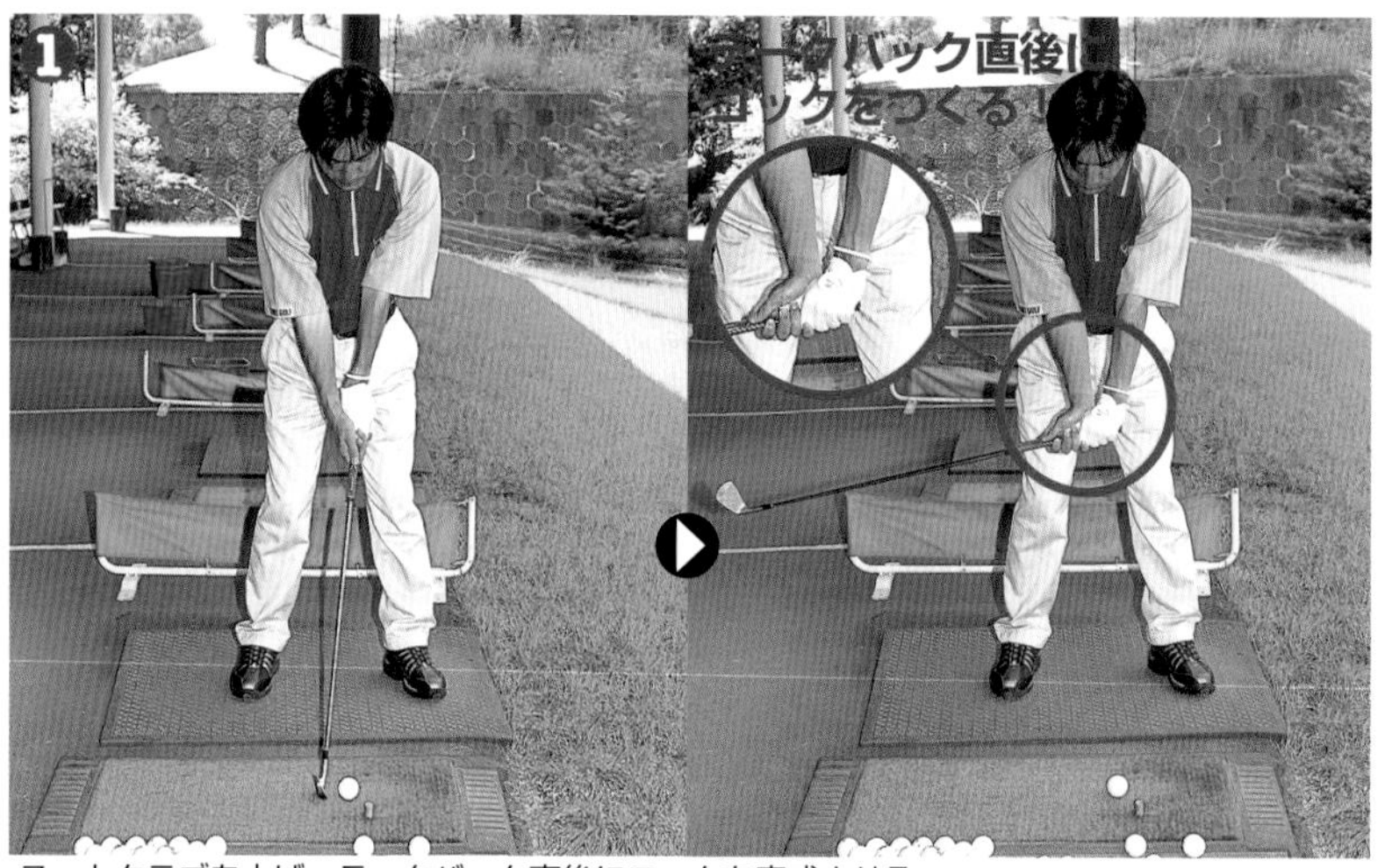

スッとクラブを上げ、テークバック直後にコックを完成させる

コックを維持した状態でボールを打つ。こうすることでハンドファーストの強いインパクトを体感でき、インパクト直前のギリギリのところでコックをほどく練習になる

方向性が良くなる練習法①

●使用クラブ　8～6番アイアン

●練習方法

①左手1本でボールを打つ。
②慣れてきたら、右手1本でボールを打つ。①②の練習を繰り返す。

●効果

左右の手で打つことにより、両手それぞれの使い方を学ぶことができる。特に片手でスイングすると、テークバックでどこに上げたら良いか正しい位置がわかる。打球の方向性が良くなる練習法だ。

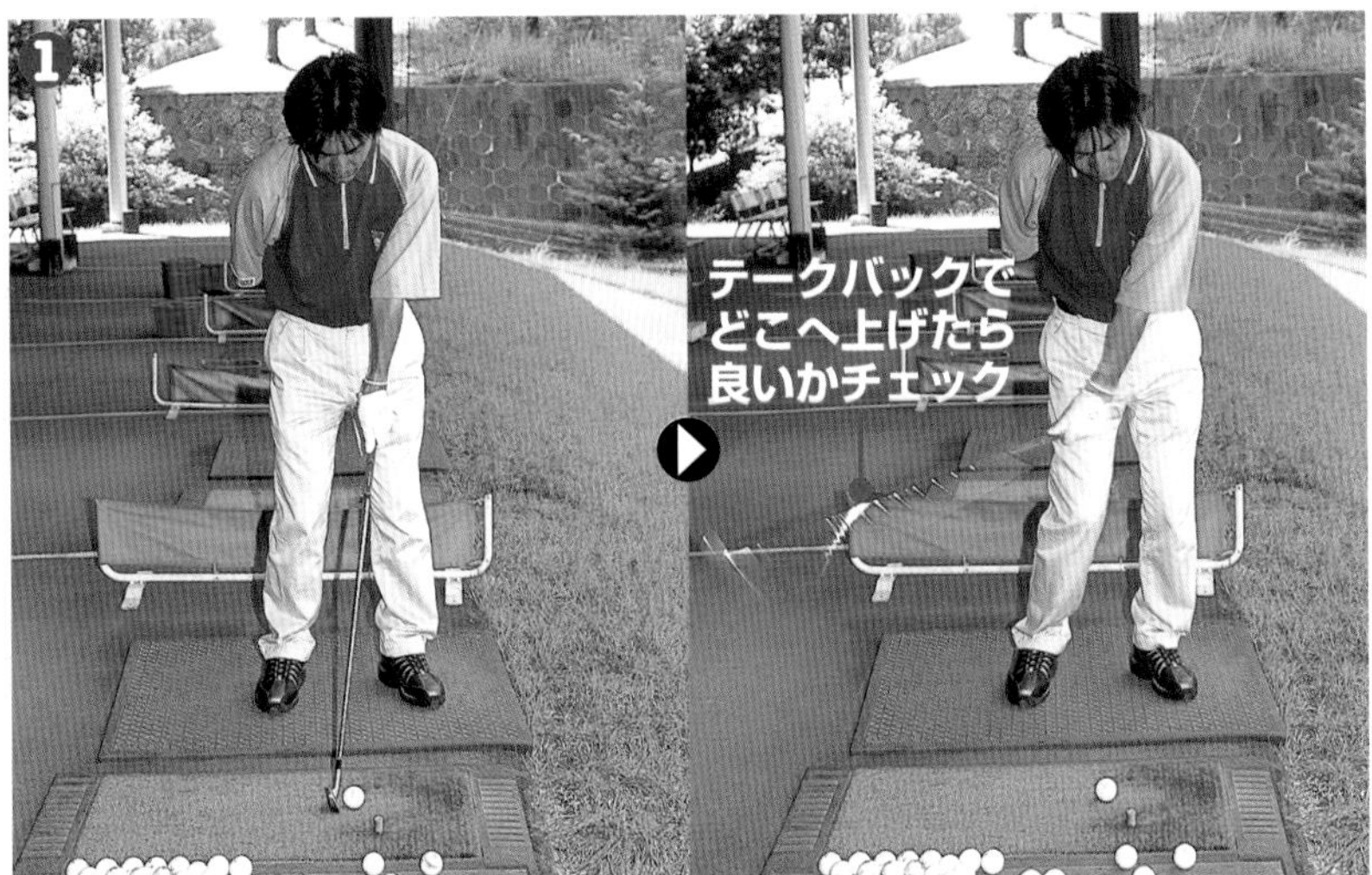

左手1本でショットする

右手1本でショットする。それぞれ片手でショットすることで、方向性が良くなる

方向性が良くなる練習法②

練習法
5

●使用クラブ　全クラブ

●練習方法

①右手と左手を5cmほどの間隔をあけてグリップする。

②そのグリップでボールを打つ。

●効果

間隔をあけたグリップのために手が自由に使えず、体と手の動きを一体化させないとうまくスイングできない。このグリップでクラブを振ることで、体と手の動きが一体となったスイングが身につく。

左右の手が大きく離れたグリップにする

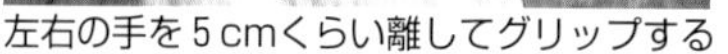

左右の手を5cmくらい離してグリップする

体と手の動きを一体化させる！

両手を離したグリップのままショットする

手が自由に使えないぶん、体と手の動きが一体化し方向性が良くなる

スイングバランスが良くなる練習法

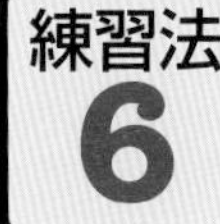

●使用クラブ　全クラブ

●練習方法

①グリップをクロスハンドにする。
②クロスハンドグリップでスイングする。

●効果

通常のグリップは右手が下になるため、どうしても肩のラインが右に傾いたアドレスになりがち。しかし、クロスハンドにすることでそれがなくなり、構えのバランスが良くなる。また、体のバランスも均等になり、手が自由に使えないぶん、体と手を一体化させた回転でオンプレーンにクラブを上げることができる。

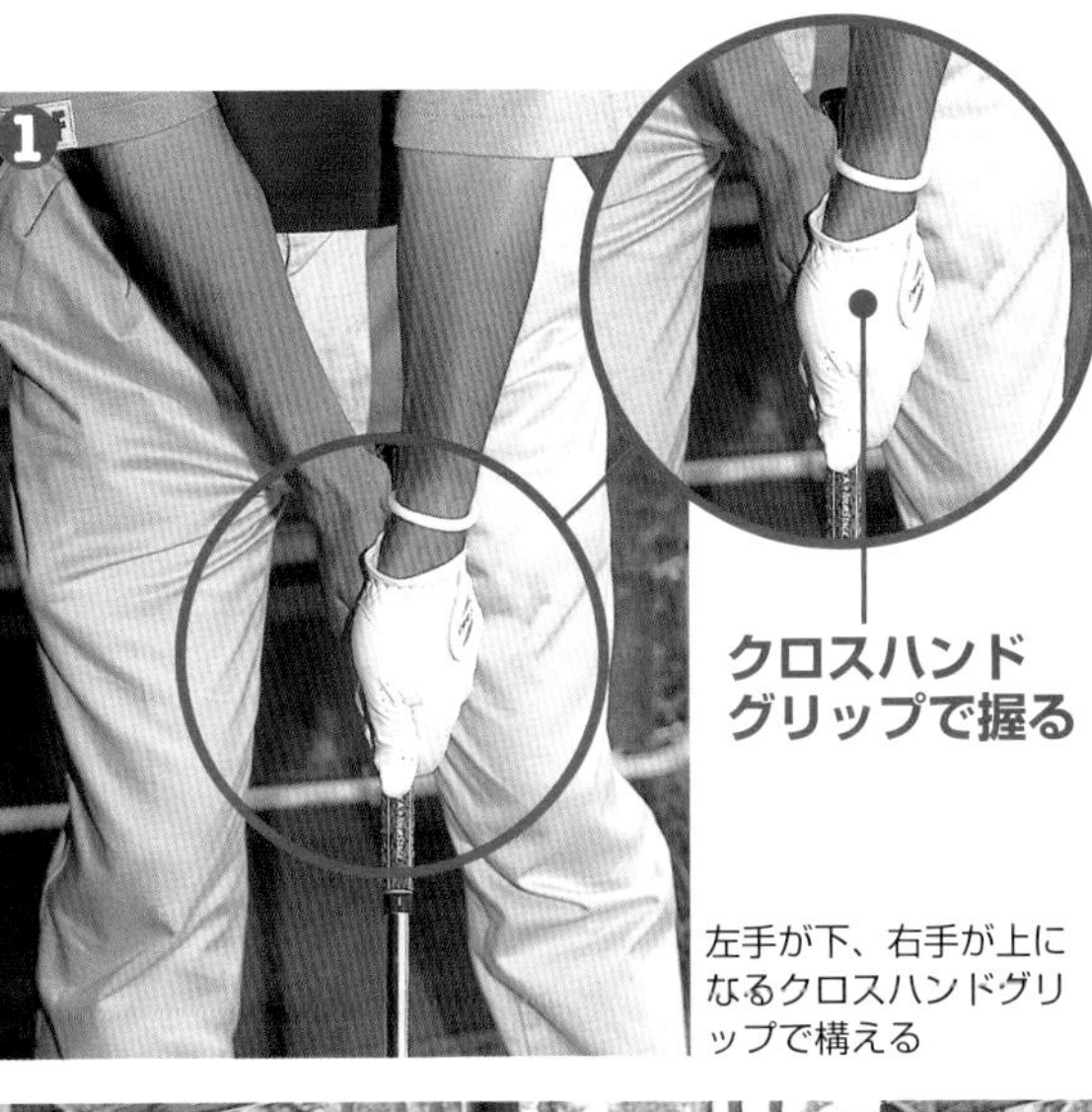

左手が下、右手が上になるクロスハンドグリップで構える

2

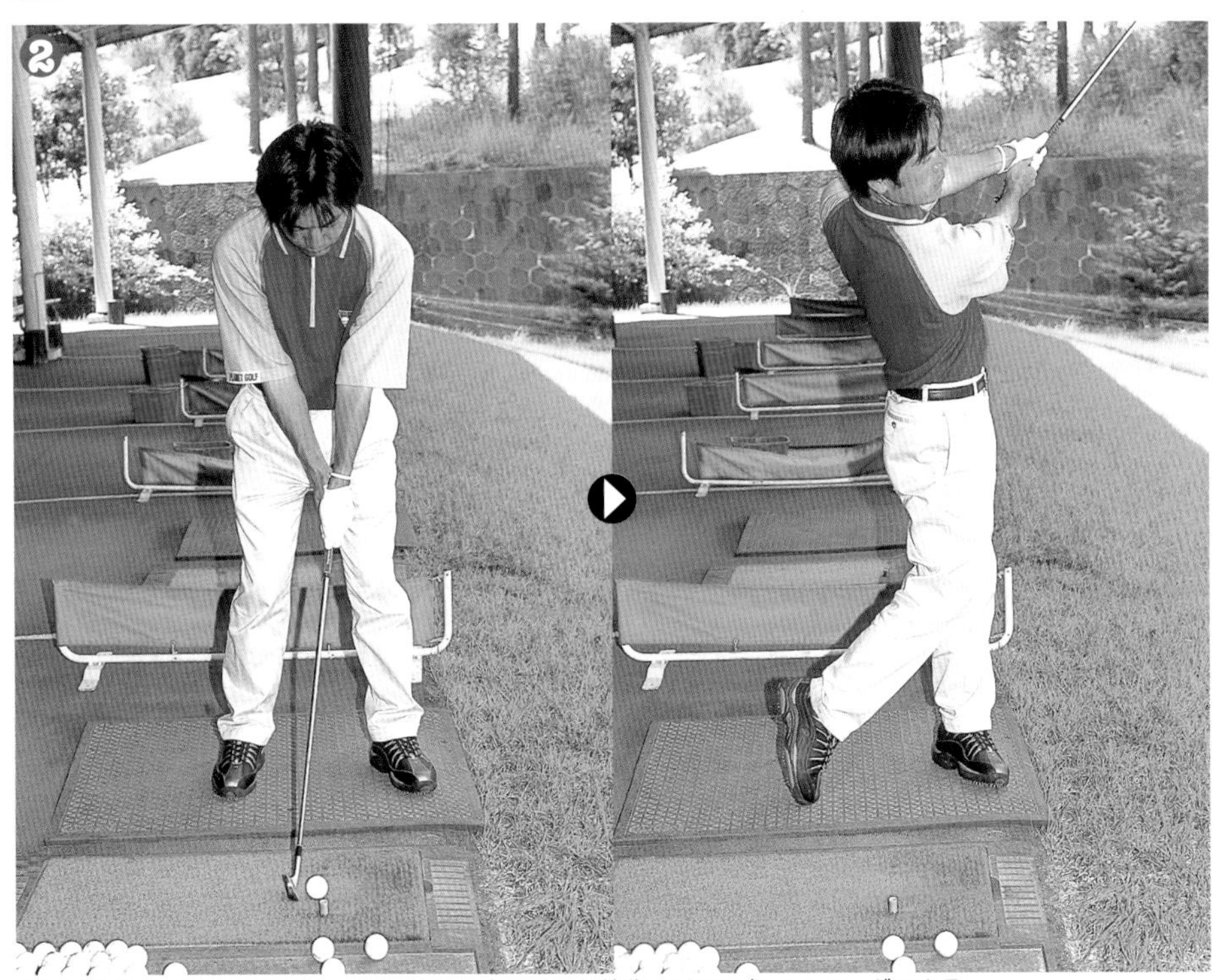

クロスハンドグリップでショットすると、体と手を一体化させた回転でスイングできる

男子プロは精度、女子プロは飛距離を磨く

Q. プロを教える場合と、アマチュアを教える場合とでは、教え方に違いはありますか。

内藤 ゴルフを上達させるという点では、両者とも変わりはないのですが、目指す方向性はかなり違いますね。アマチュアの場合は、スイングがきれいになったり、良い球が打てるようになれば満足してもらえます。しかも、スライスに悩んでいるとか、飛ばないとか、悩んでいる課題が明確ですから教えやすいといえます。

しかしプロは違います。彼らは、たとえ良い球が打てるようになってもだめなのです。予選をコンスタントに通るとか、優勝するといった、明確な結果が出ないと習っている意味がないですし、評価してもらえません。習い始めた翌年には、確実にそれまでよりも良い結果がでなければだめなのです。

Q. 男子プロと女子プロとでは、教え方が違うものですか？

内藤 フィジカル的なパフォーマンスが違うので、当然違ってきますね。ある男子プロの場合は、ヘッドスピードが55～56m／sあります。一方ある女子プロの場合は、40m／s前後です。これだけヘッドスピードが違うと、女子プロだと大ミスにならないショットが、男子プロの場合はOBになってしまいます。

ですから男子の場合は、リスクを減らすために精度を高めていかなければなりません。飛距離を犠牲にしても精度を高めます。ヘッドスピードに応じた許容範囲内で、正確性を追求していくのです。

男子プロの場合、結果的にミート率が上がって飛距離が伸びるということはありますが、あらかじめ飛距離アップを前提とした教え方というのはありえません。

一方、女子プロは飛距離が出ないとセカンドショット以降が苦しくなりますので、飛距離アップのための方策を前提にレッスンしていきます。

3章

1発で決める！アプローチ&バンカーショット

3種類のアプローチ完　ターから、
バンカー、ベアグラウ
攻略法まで徹底解説！

ランニングアプローチの連続写真

腕と肩の三角形を維持してスイング

ランニングアプローチは、キャリーを少なくしボールを転がして寄せる打ち方だ。花道などライが良く、グリーンまでに大きな障害がないときは、もっとも有効なショットになる。打ち方はパッティングに近い要領で、腕と肩でつくる三角形をキープしたままで、上から下へ打つ。

用語解説

キャリー／打ったボールが落下するまでの滞空時間

ラン／地上に落ちた後のボールの転がり

1

POINT
ボールを右足のつま先前もしくは外側にセットし、ハンドファーストに構える

アドレス

2
腕と肩がつくる三角形を崩さないようにテークバック

テークバック

5
ハンドファーストにインパクトする

インパクト

6

フォロースルー

ランニングアプローチ
アドレス

左手甲をターゲットに向け、左足体重で構える

ランニングアプローチのアドレスは、以下の点に注意して構える。

●クラブのロフトを立ててハンドファーストに構える
●クラブは短く持って、ボールの近くに立つ
●ボール位置は右足つま先の前、もしくは外側に
●体重配分は左足7対右足3の、かなりの左足体重にする
●グリップは左手甲がターゲットを指すように

グリップは短く持つ

【ランニングアプローチを選択する状況】

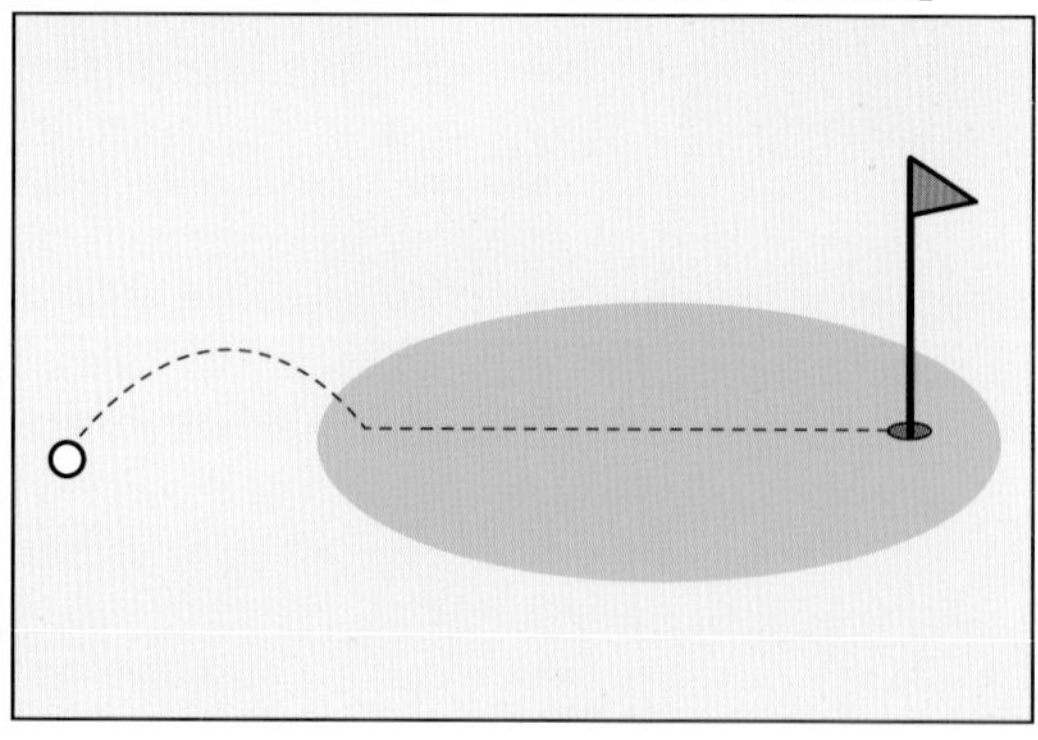

ランニングアプローチは花道にボールがあり、グリーンとの間に障害物がないときに最適なショット。パターで打つと手前の芝にかんでしまうような場合、芝の部分をキャリーでクリアできる。ランが多いためカップインする確率が高く、技術的にも簡単な打ち方だ。

三角形をキープする!

両肩と腕でつくる三角形を崩さないように打つ

左足7:右足3の左足体重で構える

ボールの近くに立ちハンドアップに構える

ロフトを立てて、ややオープンに構える

ボールは右足つま先の延長か、さらに外側に

ボール位置が左寄り過ぎると、インパクトでヘッドが届きにくい

ボールから遠くに立つと、両ワキが開き過ぎる

ロフトを立てて構える

ロフトを立てるとランが使いやすくなる

クラブを寝かせて構え、パッティングの要領で打つとダフりやすい

ランニングアプローチ
スイング 1

腕と肩がつくる三角形を崩さず、上から下へ打つ！

インパクトから手を使わず肩の動きだけで三角形を崩さず打つ

スイングはパッティングの要領で、腕と肩がつくる三角形を崩さず、ボールの側面を払い打つ。ただし、ボールを右足つま先の前か、その外側に置いて払い打つため、スイング軌道はパッティングよりも鋭角になり、上から下へとヘッドを下ろしていくような形でスイングする。

フォロースルーで手首を返してしまうと、パッティングの打ち方はできない

1

しっかりと腕と肩でつくった三角形をキープする！

2

ノーコックでスイング
ノーコックでクラブを上げ、そのまま振り下ろしていく

フォロースルーをとらず、上からドスンと打ち込んで終わりというスイングでは、ザックリやトップのミスが出やすい

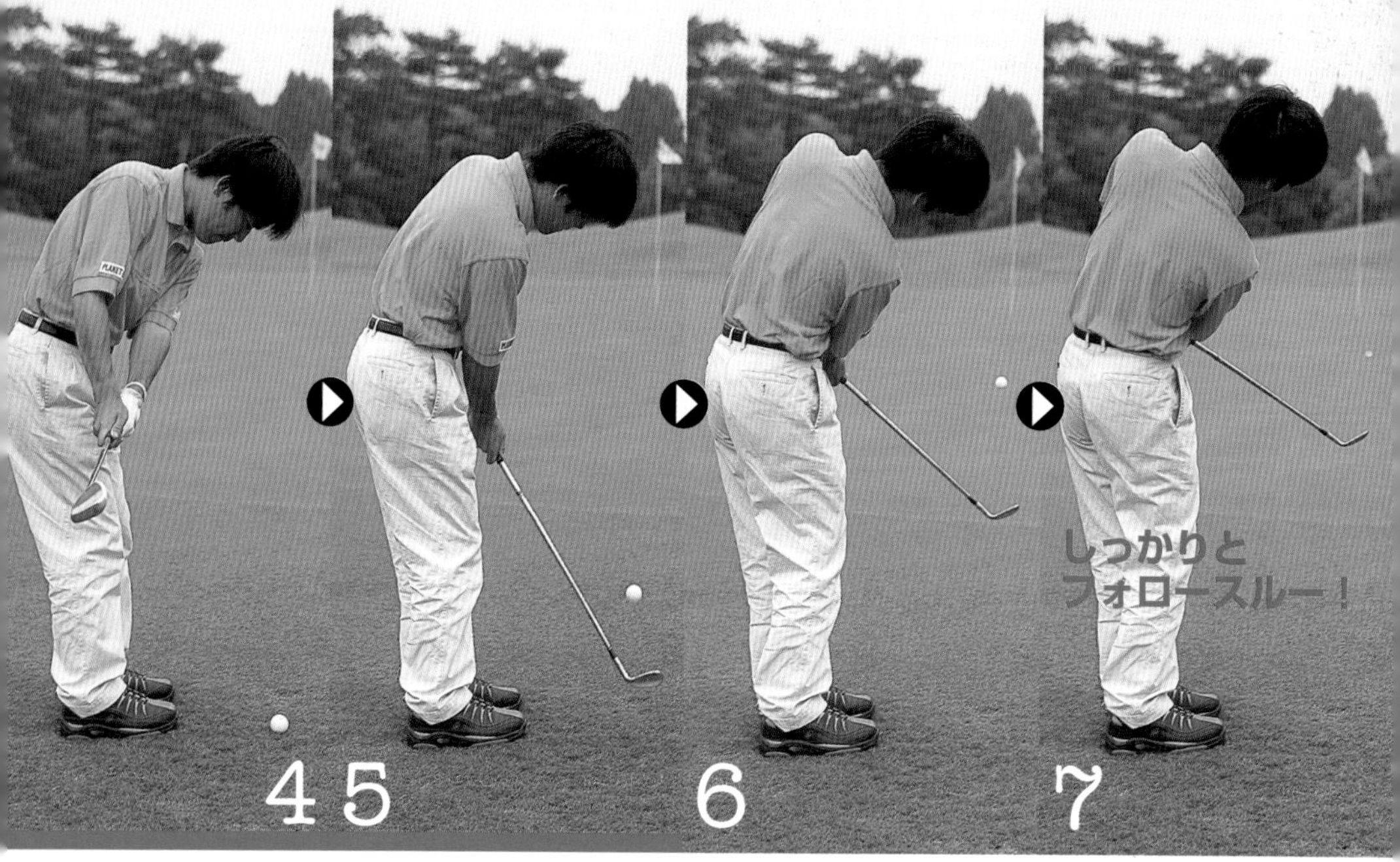

しっかりと
フォロースルー！
4
5
6
7

上下には動いているが、左右には動いていない

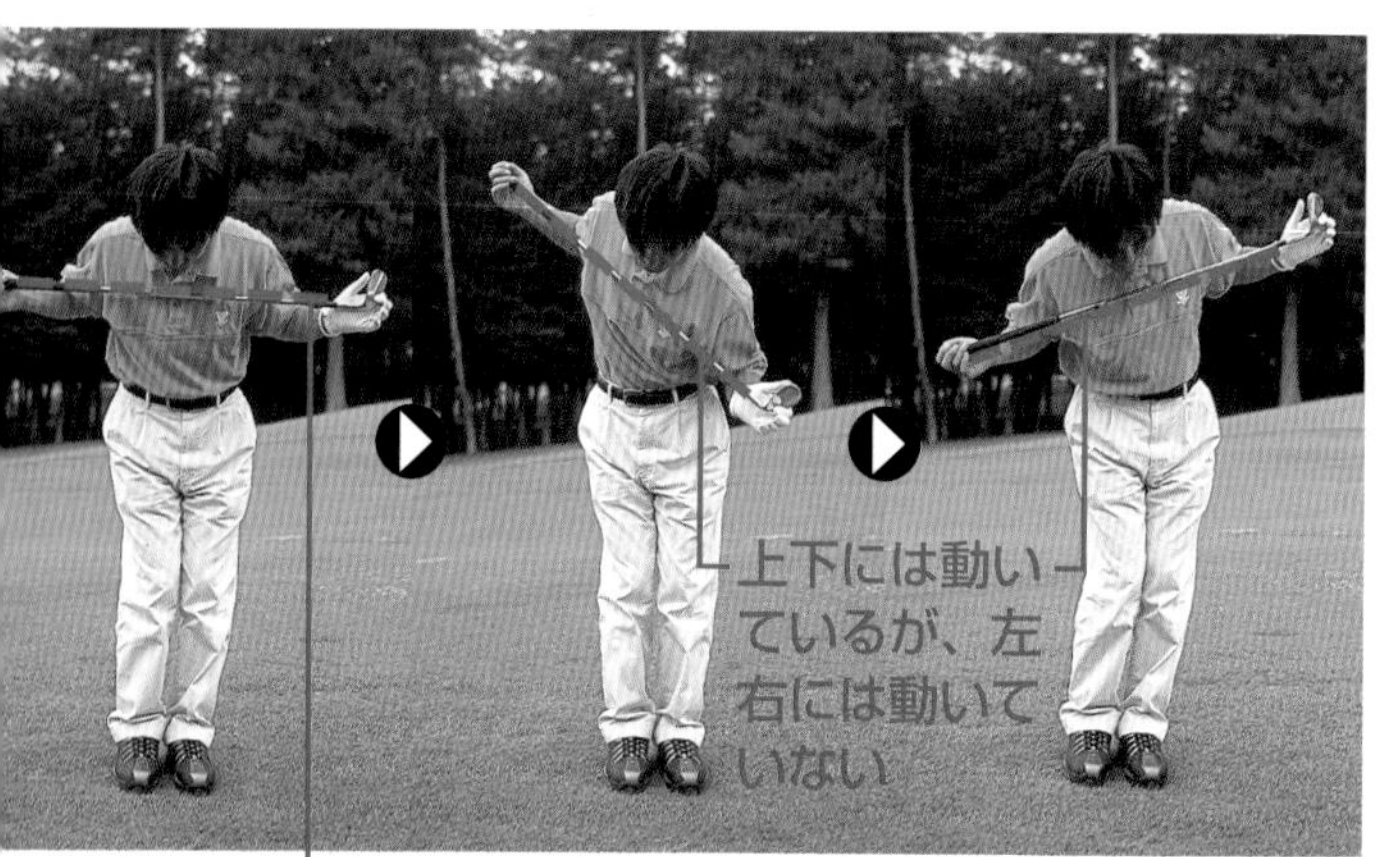

両肩を結ぶラインは、つねにターゲットライン（目標方向）と平行になる

ランニングアプローチ
スイング ②

ヘッドをまっすぐ引いて、まっすぐに打ち出す！

スイングのもうひとつのポイントは、ヘッドをまっすぐに引いて、まっすぐに打ち出すこと。そのためには、肩のラインがターゲットラインと平行に動くようにスイングする。

写真で見ると肩が上下に動いているのが、正しいスイングになる。通常のスイングのように肩を左右に回転させると、ターゲットラインと肩のラインがクロスしてしまう。

肩のラインはターゲットラインと平行のままスイング！

ノーコックのままテークバックし、そのままインパクト

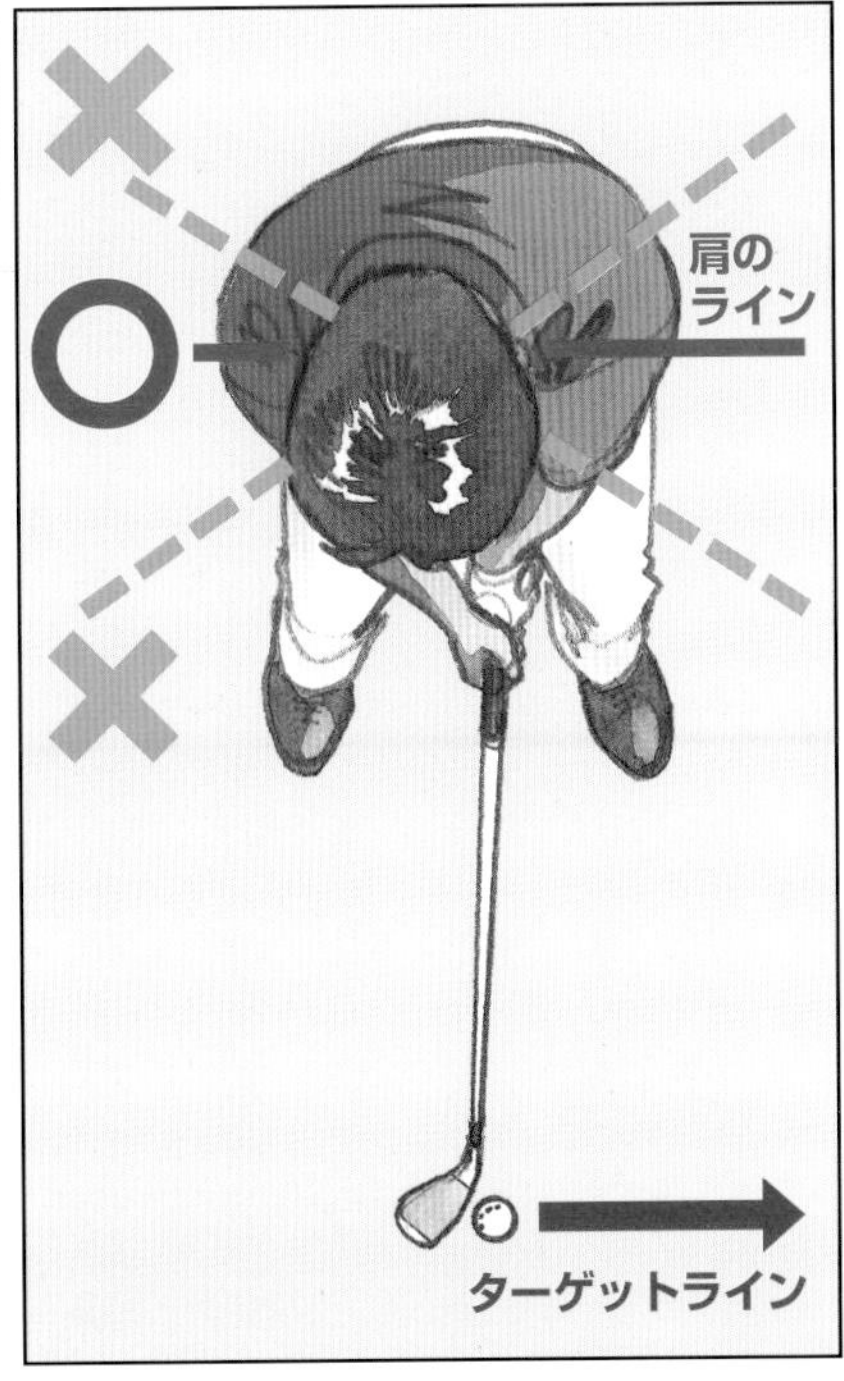

イラストのように、ターゲットラインと両肩を結ぶラインが平行になるように肩を動かす。体を回転させると、両肩を結ぶラインがターゲットラインとクロスしてしまう

ランニングアプローチに適した番手は7番まで

ランニングアプローチでのクラブ選びは、距離が長くなればランを多くするためにクラブの番手を上げていきます。しかし、アイアンの３～６番は短く持ってもクラブ自体が長くスイングしづらいので、７番くらいまでを使用するのがいいでしょう。６番以上が必要な距離のときは、７番をかぶせて構えるという方法もあります。

また、ちょっと意外ですが、ランニングアプローチでスプーンを使うケースもあります。スプーンはソールが広いため、アイアンに比べて簡単に打てるのです。

アドレスを再現するつもりでインパクトする

ピッチショットはキャリーとランをだいたい半分ずつ使う、ボールを上げて転がす打ち方だ。ボールとグリーンの間に障害物があり、それを避けてピンに寄せなければならないときにはこの打ち方が有効になる。

アドレスの再現をより強く意識して、インパクトを構えたときの形に戻していくつもりでスイングしよう。

フィニッシュは距離に関係なくしっかり振り切ることで、ヘッドを走らせる

POINT

インパクトではこの構えを
再現するつもりで！

1 アドレス

ボール位置はスタンス中央。体重配分は左右均等

2 テークバック

3

コックは意識してつくる必要はないが、テークバックが大きくなるとそれなりにコックされる

6 トップ

距離はトップの位置、つまり振り幅で調整する

7 ダウンスイング

体と手を一体化させ、手が体の正面にあるようにする

8 フォロースルー

ピッチショット
アドレス

スタンス中央にボールをセットし、ややハンドファーストに構える

ピッチショットとは、キャリーとランが半々くらいになるよう両者を併用して寄せる打ち方だ。ボールとグリーンとの間にラフやバンカーなどの障害があるが、落下後にランを利用できる、という状況に適した打ち方。

【ピッチショットを選択する状況】

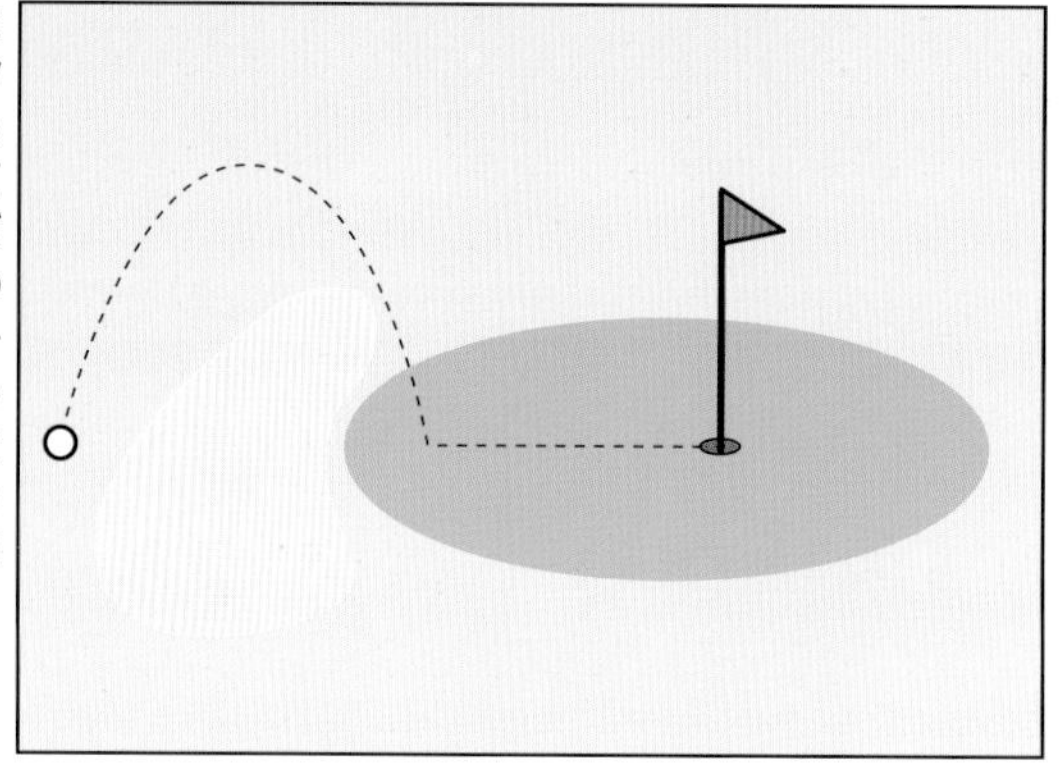

グリップは短く持つ

左足のつま先だけを開いてオープンスタンスにする

両足のかかとはターゲットラインに平行に！

ピッチショットのアドレスでは以下のような点がポイントになる。

●ボール位置はスタンス中央にセット
ややハンドファーストに構える。

●体重配分は左右均等

●クラブは短く持つ

●ボールと体との距離は遠からず、近からず、中間の位置に

●スタンスは、ややオープンに構える
構えたときに、腰と胸のラインもスタンスと同じ向きにする。

距離の調整はテークバックの振り幅で!

ピッチショットのスイングは、インパクトで構えたところに腕を戻してくるように、アドレスの再現を強く意識してスイングする。このときコックは特に意識してつくらず、振り幅が大きくなれば自然にコックも大きくなるという、自然体にまかせたコッキングをすればいい。

距離の調整（距離感）はテークバックの振り幅の大きさで出す。ただし、フィニッシュは距離に関係なく、全ショット同じ大きさで振り切る。

アドレス

ハンドファーストの度合いは、ランニングアプローチよりも少なくなる

コックは意識してつくらない!

振り幅の大きさによってできる、自然なコッキングでいい

アドレスの形に戻す

インパクト

ロフトはスクエアに構える

ランニングアプローチに比べ、ハンドファースト度が少ない。そのため、ロフトは立てずスクエアに構えられる

アドレスの形に戻す

インパクトはアドレスの形に戻す、という意識を強く持ってスイングする

フィニッシュはしっかり振り切る！

しっかり振り切ることでヘッドが走り、ザックリのミスが出ない

距離感はテークバックの大きさで決める

テークバックの振り幅を時計の針と想定し、"9時まで振り上げたらキャリーで30ヤード"といった具合に、自分専用の距離の物差しをつくる

ピッチショット
スイング
2

体と手を一体化させ、体の回転主体でインサイド・インに振る

ピッチショットのスイングでもうひとつポイントとなるのが、スイング軌道だ。ピッチショットは、体の向きにスイングするのが理想になる。体の向きにスイングするということは、目標方向ではなくスタンスに対してインサイド・インの軌道を描くようにスイングすることだ。

体と手を一体化させ、体の回転主体で振るようにするようにすると、インサイド・インの軌道を描きやすい。

ピッチショットでのインサイド・インのスイング軌道

7
手と体を一体化し、体
スイングする
8
向きにスイングしていく感覚
9
スタンスに対してインサイドへ振りぬく!

スタンスの向きから大きくはずれたインサイド過ぎるテークバックは、スイングプレーンからはずれてしまう

アウトサイド過ぎるテークバックもスイングプレーンをはずれてしまう

4　5

トップ　ダウンスイング

ロブショットの連続写真

フェースを開き、ボールの手前からソール（バンス）を滑らせる

ロブショットは、ボールを高く上げてピタリと止める打ち方だ。ボールとグリーンの間にバンカーなどの障害物があり、グリーン上でランが使えないような状況では、ロブショットが有効になる。技術的には非常に難しいショットだ。

基本的にはバンカーショット（P124〜参照）と同じ打ち方で、フェースを開いて構え、ボールの手前からソール（バンス）を滑らせていく。インパクトでボールが開いたフェース面をかけ上がっていくため、ボールが高く上がり、スピンもかかるため、落下したときにピタリと止まるのである。

フェースを開いて打つためボールは飛ばない。そのため、フィニッシュは大きくとる

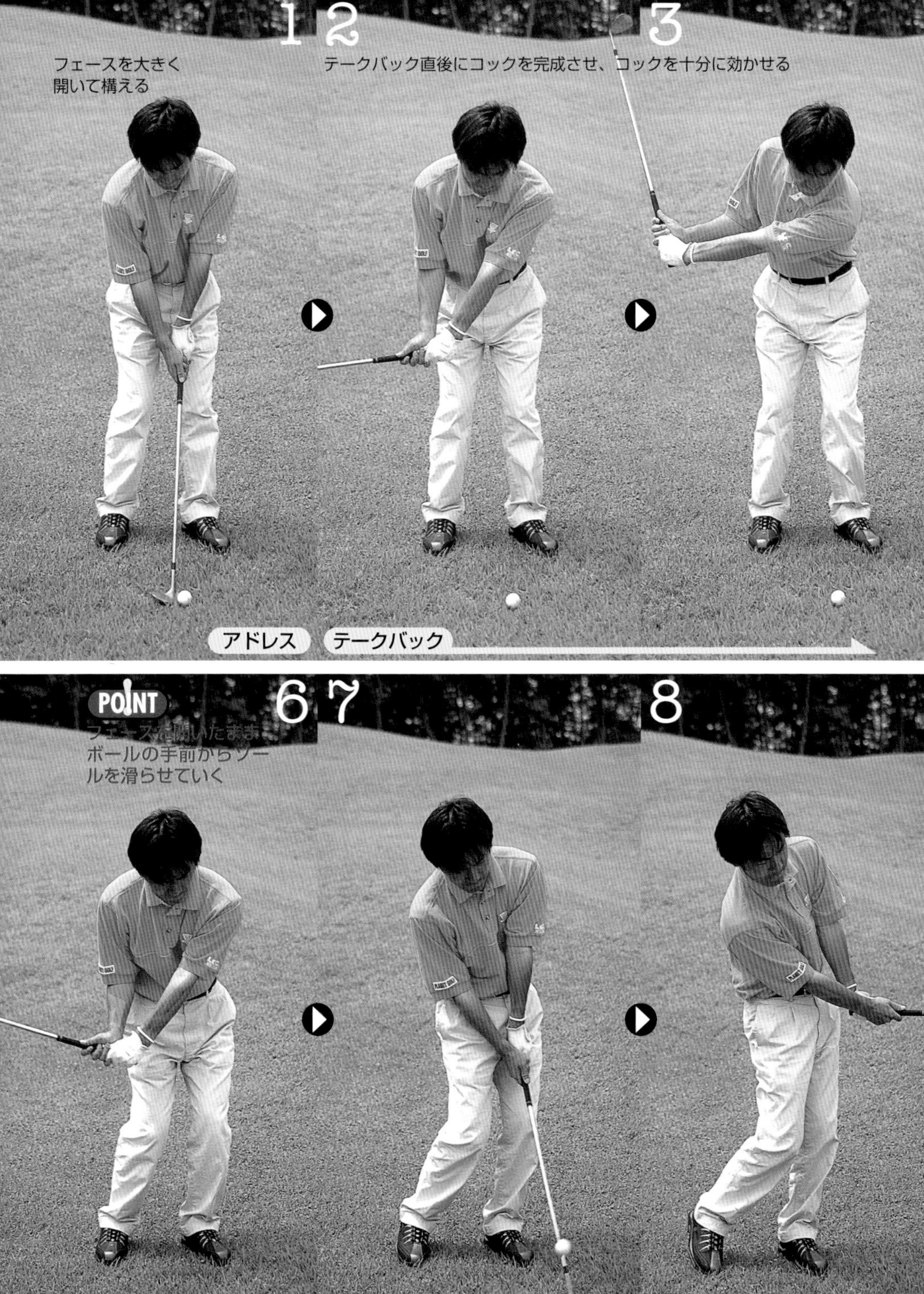

1
2
3
フェースを大きく
開いて構える
テークバック直後にコックを完成させ、コックを十分に効かせる
アドレス
テークバック
6
7
8
POINT
フェースを開いたまま
ボールの手前からソールを滑らせていく
ダウンスイング
インパクト
フォロースルー

ロブショット
アドレス

ソール（バンス）が使いやすいアドレスをつくる

ロブショットは、ソール（バンス）を使いやすいアドレスをつくることが成功への秘訣。以下の点に注意しながら構えをつくろう。

●フェースを大きく開いて構える

ソール（バンス）から打ち込みやすいよう、あらかじめフェースを開いて構える。

●グリップはボールの真上に

フェースを開いて構えるため、グリップはボールの真上にくる。

●ボールが上がりづらい人はハンドレイトに構える

ハンドレイト（ボールよりグリップが右側にある状況）と対照的なハンドファーストは、ヘッドが使いにくくなるのでさけよう。

●ボール位置は、中央よりも左足寄りにセット

●クラブは長く持つ

●ハンドダウンにし、ボールから遠く離れて構える

ハンドダウンで構える
ハンドダウンにすると重心が下がって安定し、ソールからも打ちやすくなる
スタンスの向き
フェースの向き
フェースを開いて構える
スタンスの向きと比べるとフェースの開き具合がわかる

ソール（バンス）を使うためには、フェースを開いて構える

フェースが閉じているとソール（バンス）を使えない

【ロブショットを選択する状況】

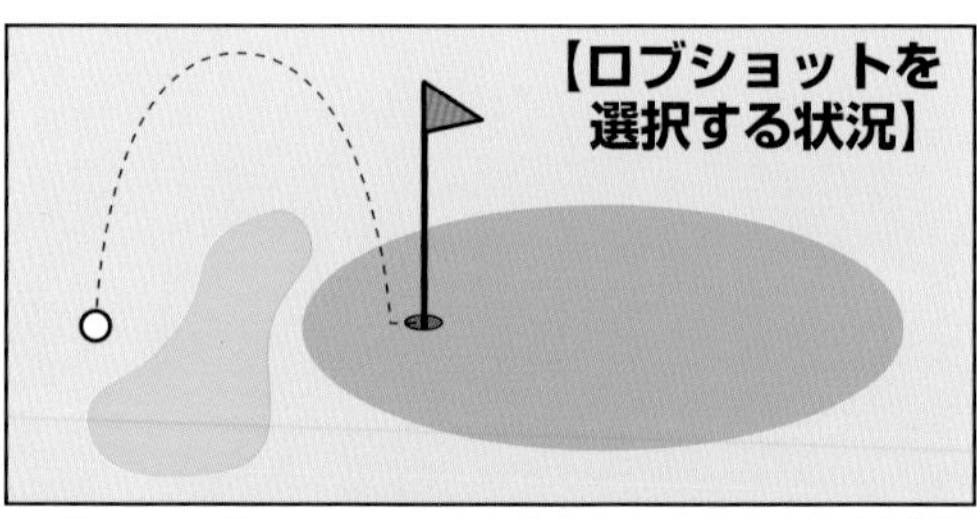

ボールとグリーンの間にバンカーや池などの障害物があり、なおかつピンがグリーン手前にあってランがほとんど使えない状況では、「上げて止まる球」が必要になる。そんな状況で威力を発揮するのが、ボールが高く上がりピタリと止まるロブショットだ。

グリップは長く持ち、ボールの真上に!

ボールから離れて構える
ハンドダウンにして、離れた位置にアドレス

ボールの状況を正確に判断する!
ボールが浮いているか沈んでいるか、ボールの下は柔らかいか硬いか、などを判断する

体重配分は右足5：左足5
左右均等の体重配分にする

ボール位置は中央より左足寄りにセット

ボールを上げようと意識すると、どうしても右肩下がりになって軸が右に傾きやすくなる

バンスって何?

ロブショットやバンカーショットの解説でよく使われるバンスをひとことで説明すると、「リーディングエッジよりもどのくらいソールが出っ張っているか」ということ。要するに「ソールの出っ張り具合」のことである。ソールには「バンス角」という角度がついており、この角度が大きくなればなるほどソールは出っ張るようになる。そしてバンス角が大きいことを「バンスが大きい」という。また、バンスはフェースを開けば開くほど出っ張る。　※バンスについてはP129のイラストも参照

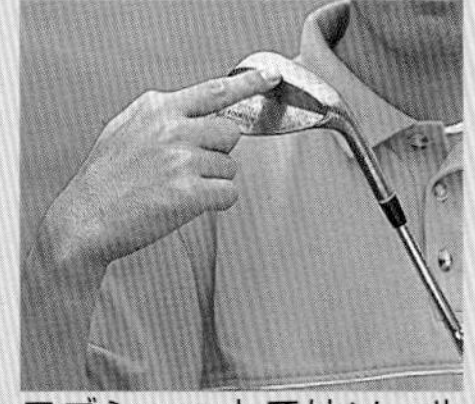

ロブショットではソール(バンス)の使い方が大切!

34

フォロースルーはターゲット方向へ出す！

コックを十分に効かせてヘッドを走らせる

ロブショット スイング 1

早めにコッキングし、コックを効かせて打つ

ロブショットはボールを直接打つのではなく、ボールの手前からソール（バンス）を滑らすようにして打つ。また、ピッチショットのようにクラブと体を一体化させたスイングではなく、早めのコッキングでコックを十分に効かせる。

スイング方向はスタンスなりに振り抜く形にし、フォロースルーでは手首を返さずに振り出した方向に送っていくようにする。

コッキングはテークバック直後に完成させる！

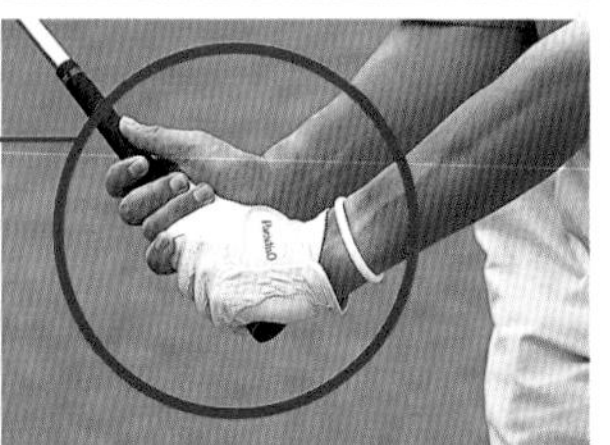

コックを早く完成させることで、コックが最大限に使える

1

バンカーショットと同じように、ボールの手前からヘッドを入れていく

2

フェースを開いて構えるためソールが滑り、ヘッドは芝に突き刺さらない

ボールの手前2～3cmのところからソール(バンス)を入れていく

ソール(バンス)を滑らせるように打つ

内藤雄士のアドバイス

状況や力量を判断する、柔軟性のある考え方も必要

ロブショットの中でも特に難しいのは、ボールが沈んでいるときです。ボールの下が柔らかければ、ボールの下にヘッドを入れて打つことができます。しかし、ボールの下が硬いときは、バンカーの目玉を打つ要領で(P 138～参照)フェースをかぶせ、芝ごとボールをかき出すように打つしかありません。こんな状況では脱出が第一で、寄せることはあきらめたほうが無難です。

また、たとえ下が柔らかくても、プロでも2mくらいに寄れば最高のショット。アマチュアならば「のればOK」というつもりでいいでしょう。実はこのように考え方を切り替えることで、ゴルフは簡単になるものです。「何が何でも寄せなきゃ…」と考えると過度な重圧がかかる上に、寄らない場合は次のショットにも重圧がかかります。柔軟性のあるプレーは自分自身を助けてくれます。

ロブショット スイング 2

背骨に軸をおき、安定したスイング軌道をつくる

ロブショットではコックを効かせたスイングが大切になる。コックを生かしたスイングにするためには、体がスエーするのを防がなければならない。そこで重要になるのが背骨の役割だ。

背骨にスイング軸を設定し、つねに支点を変えないようにスイングすることを心がける。背骨に支点をおくことで軸が安定し、ヘッドがいつも正しい軌道で振れるようになる。

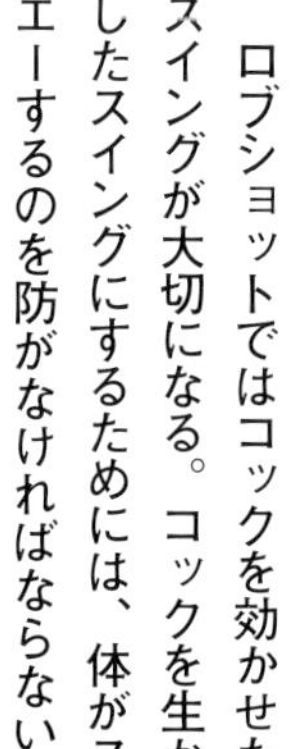

4

コックを効かせたままテークバックしていく

8

テークバックでコッキングしていない

フォロースルーで手首を返す

アプローチは「ランで寄せられるか？」をまず考える

アプローチに入る前には、「転がし（ラン）で寄せられるか」をまず考えてください。なぜなら、転がしのアプローチ（ランニングアプローチ）が3つのアプローチの中で一番簡単だからです。また、ボールが転がる距離が長くなればなるほど、カップインする確率も高くなります。ピッチショットやロブショットは、ランが少なくなる分、カップインの確率が低くなるのです。

アプローチショットの中で、ランニングアプローチ以外は、ある意味トラブルショットと考えてもいいでしょう。今の状況を1回で脱出して、その後にグリーンオンさせることを目的にしましょう。特にロブショットは技術的にもっとも難しいので、ロブショットでしか脱出できない状況以外は使わないほうがいいでしょう。逆にランニングアプローチはカップインを積極的に狙い、最悪でも1m以内に寄せる、くらいの意識でアプローチしてください。

1
フェースを開き、オープンスタンスに構える
2
背骨をスイングの軸にする！
背骨に軸をおけば、つねに正しいスイングの軌道が描ける
テークバックで早めにコッキング
テークバックに入ったら、早めにコックを完成させてしまう
3
背骨に軸のないスイングは体のスエーを生み、コックを生かしたスイングができない
5
6
7
ソールを滑らせて打つ
ヘッドをボールの2～3cm手前から滑らせるように入れていく
9
スイングはスタンスなりに振ってＯＫ！
10
フォロースルーで手首を返さない
手首は振り出した方向へそのまま送り出していく
11

ハーフショットを打つ

テークバックの振り幅に、自分なりの物差しをつくる！

テークバックでの腕の振り幅を、時計の針にあてはめて、自分なりに「振り幅が何時なら●ヤード」と、基準（物差し）をつくっておく

サンドウエッジのフルショットでの平均飛距離は、一般的なロフト角（56度前後）の場合80ヤード前後。ということは、30～70ヤードの距離はフルショットはできないが、アプローチショットをするには距離があり過ぎる状況になる。

このような場合に効果的なのがハーフショットだ。使用するクラブはピッチングウエッジかアプローチウエッジのうち、自分が扱いやすいクラブを決めておくようにする。サンドウエッジはバンスがあるためにダフリやすく、ハーフショットには適していない。

ショットのポイントは、まず使用クラブのフルショットの距離をしっかりと把握すること。次にテークバックの大きさごとに、飛距離の物差しをつくることだ。「腰の位置まで手が上がったら30ヤード」といったものでいい。この物差しを練習場でチェックしながらつくっておけば、実戦でも距離はピタリと合う。

手で小細工しない！

手で小細工をして距離を合わせようとするとミスがでる。振り幅の基準をしっかり守って、あくまでも体の回転で打つ

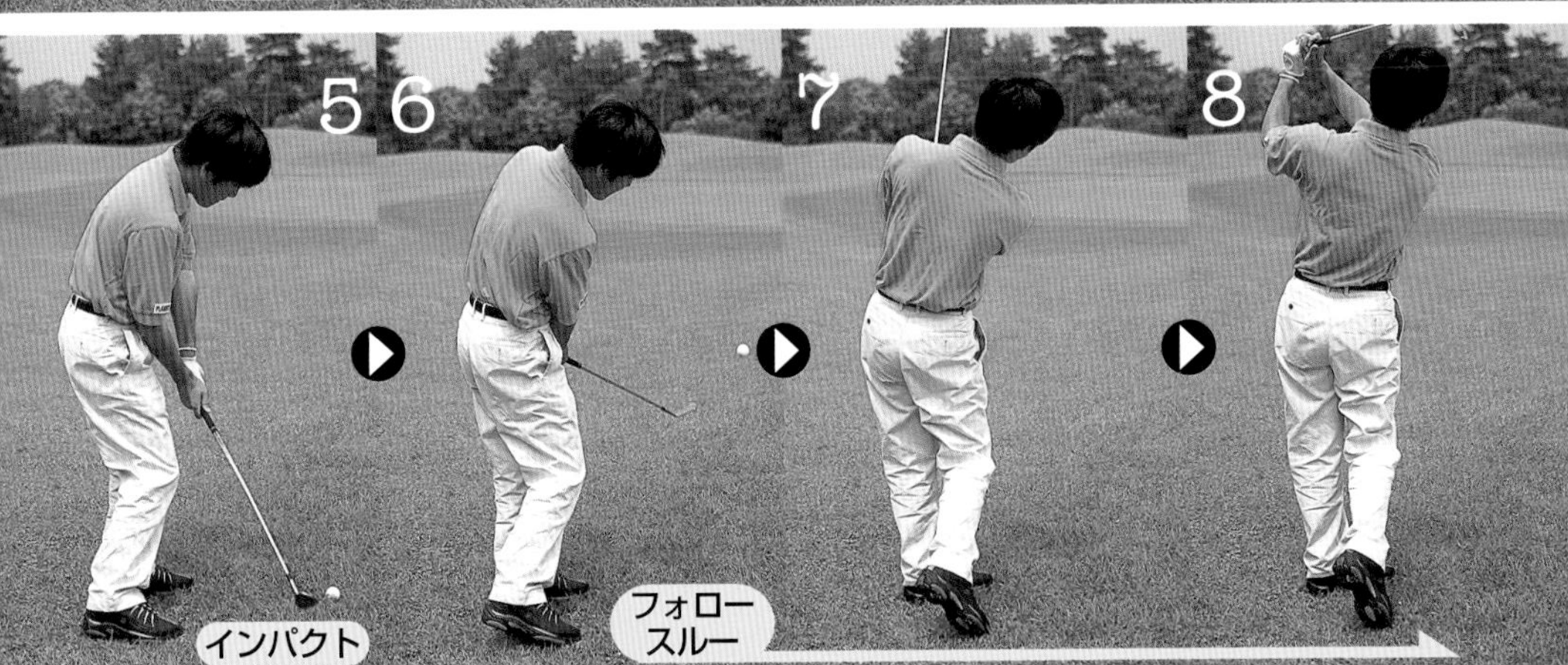

フィニッシュの大きさはほぼ同じに！

フィニッシュの大きさまで距離によって変えてしまうと、インパクトがゆるみやすくなりダフリやトップの原因となってしまう

ベアグラウンドからのアプローチ

ロフトを立てて構え、ストレートに振り抜く

ベアグラウンド（芝がない土の部分）からのアプローチでダフってしまうと、ベアグラウンドが柔らかいときはザックリのミスになるし、一方硬いときはソールが跳(は)ねてしまってトップのミスになる。ベアグラウンドでは、絶対にダフらないショットが必要となる。

ダフらないショットをするためには、

●ボールを右足の外側にセット
●ロフトを立ててハンドファーストに構える
●体重配分は左右均等

以上のように構える。

スイングはテークバックでヘッドをまっすぐに引き、フォロースルーでもまっすぐに出していく。

コックは意識して効かせず、テークバックのなりゆきでコックができる感じでOKだ。そして、ヘッドを上から下に振り下ろすイメージでボールの右側面をコツンと打つ。ランニングショットとほぼ同じ打ち方でいい。

ボールを極端に右側にセットするため、大きくハンドファーストになる

グリップはかなり短く握る

ロフトを立てるためソールは使わない。使用クラブはサンドウエッジ、アプローチウエッジ、ピッチングウエッジから自分の得意クラブを選ぶ

足をそろえてスタンス

スタンスが狭いほうがボールの右側面を打ちやすい

ボール位置は、右足の外側にセット

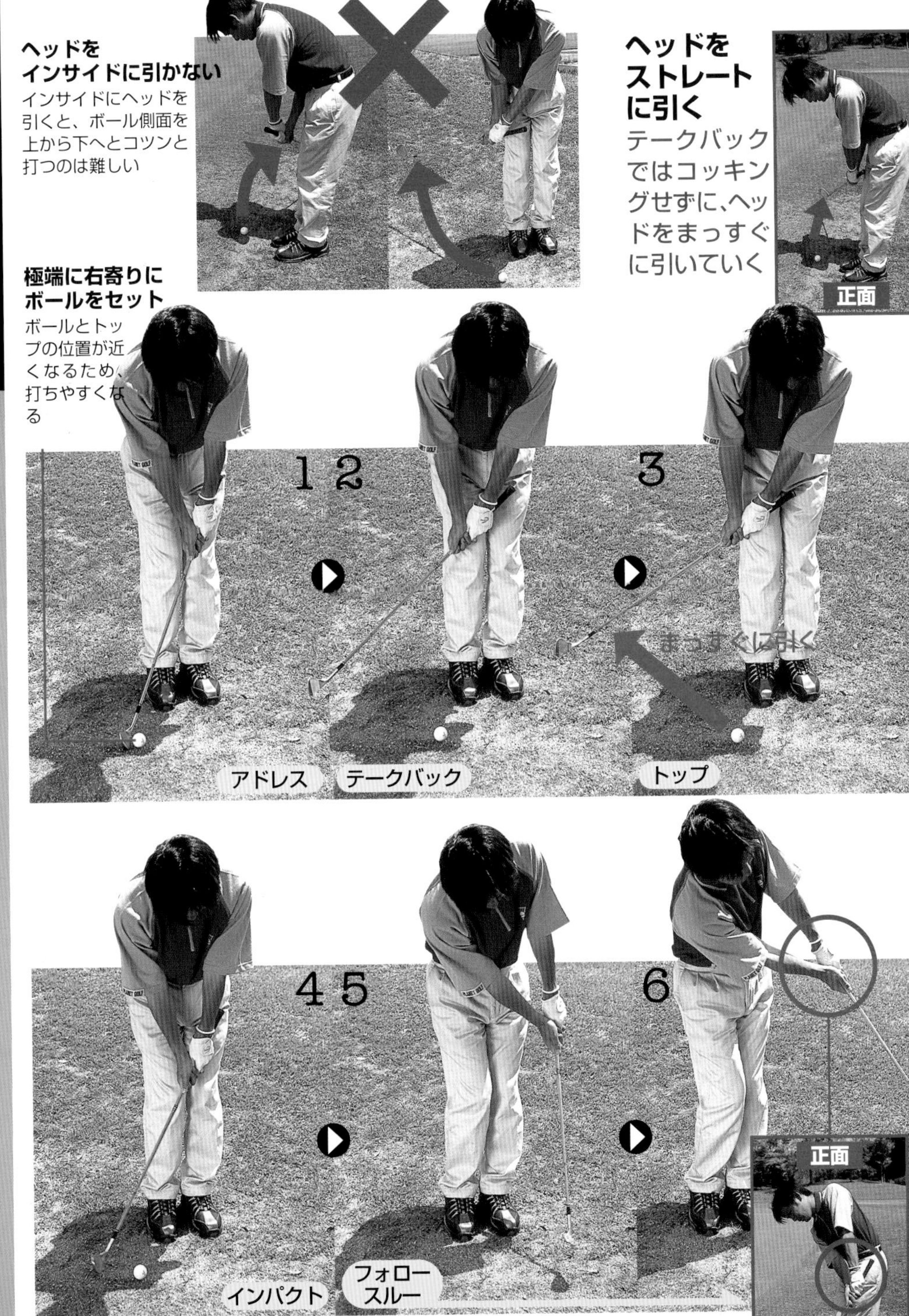

ヘッドをインサイドに引かない

インサイドにヘッドを引くと、ボール側面を上から下へとコツンと打つのは難しい

ヘッドをストレートに引く

テークバックではコッキングせずに、ヘッドをまっすぐに引いていく

極端に右寄りにボールをセット

ボールとトップの位置が近くなるため、打ちやすくなる

手首の角度を変えないで、まっすぐに振り抜く

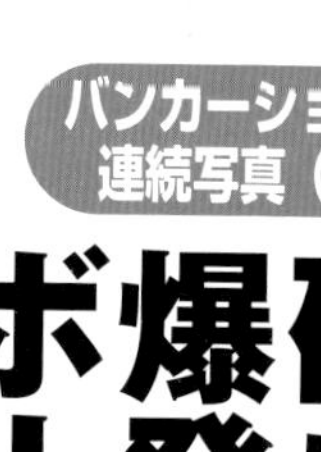

バンカーショットの連続写真（正面）

砂を打った爆発力でボールを出す！

バンカーショットは、砂の爆発力を利用してバンカーから脱出するショットだ。ボールを直接打つのではなく、ボールの手前にヘッドを入れて砂を爆発させ、その際の爆発力を利用して脱出する。バンカーショットのことを英語ではエクスプロージョンショットと呼ぶが、エクスプロージョンとは「爆発」のことで、ショットの内容を言い表している。

4 トップ

5 ダウンスイング

コックを十分に効かせて振り下ろしていく

9 10 フィニッシュ

体が目標に正対するようにする

1

2

3

ボール位置は
スタンス中央
よりやや左に
セットする

アドレス

テークバック

早めにコックを完成させる

POINT
ドスンと強くヘッド
を入れていく

6

7

8

インパクト

フォロースルー

4 5

トップ

バンカーショットの連続写真（後方）

フェースを開いて、ソールを最大限に使えるようにする

バンカーショットは、ソール（バンス）がポイントとなる。そのため、フェースを開いてソールが最大限に使えるようにする。開いたフェースは目標方向に向けるため、結果的にオープンスタンスで構える。そして目標に向かってまっすぐに振り抜くようにスイングする。テークバックがスタンスに対してアウトサイド過ぎたり、インサイド過ぎてはいけない。

オープン度は、フェースの
開き具合で変わっていく
1
2
3
POINT
オープンスタンス
で構える
アドレス
テークバック
6
7
目標方向にまっすぐ振り抜く
8
ダウンスイング
インパクト
フォロースルー

「フェースを開いて構えられるか」が、バンカーショット成功のカギ！

【フェースを開いて目標に向ける手順】

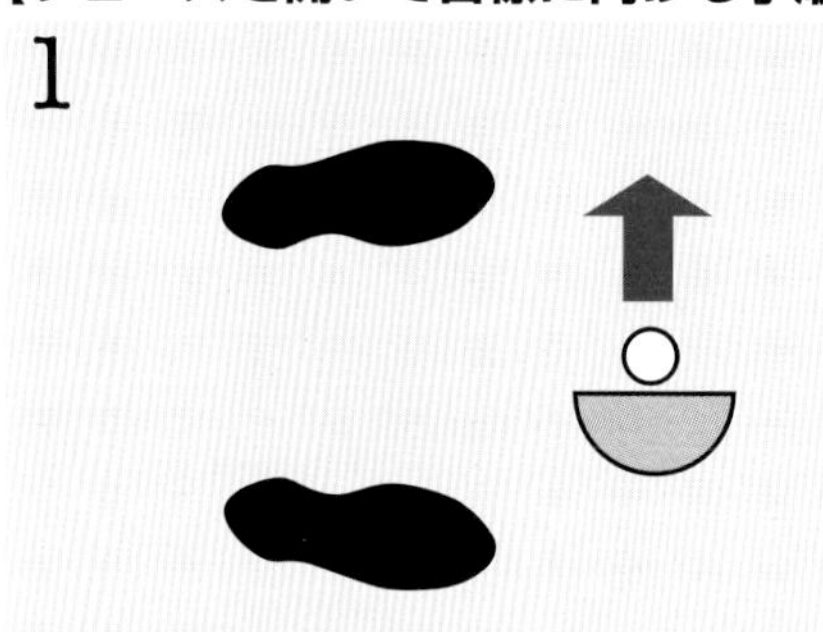

スタンス、フェース面ともに目標に対してスクエアに構える。

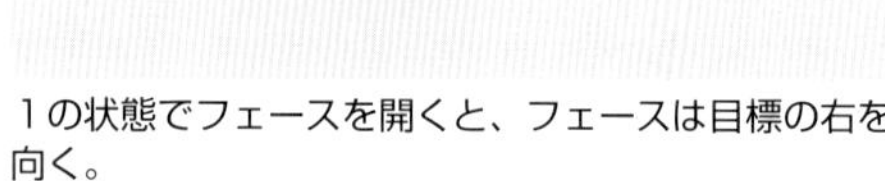

1の状態でフェースを開くと、フェースは目標の右を向く。

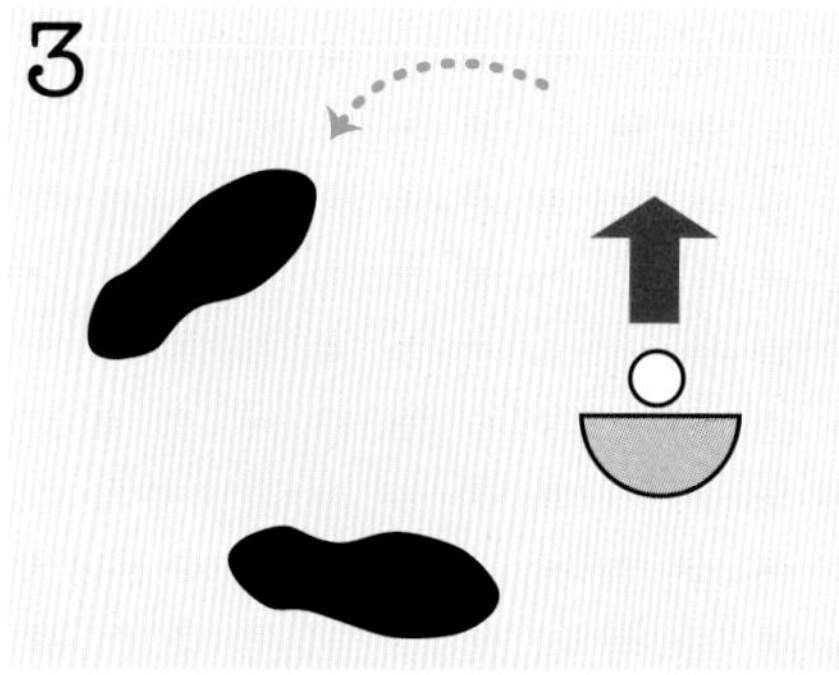

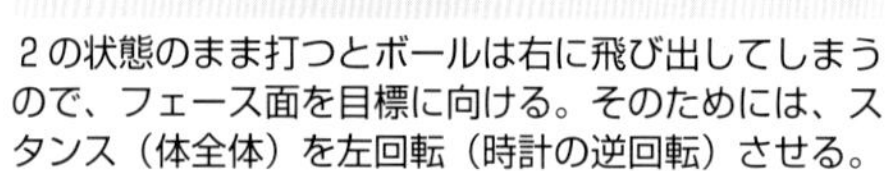

2の状態のまま打つとボールは右に飛び出してしまうので、フェース面を目標に向ける。そのためには、スタンス（体全体）を左回転（時計の逆回転）させる。

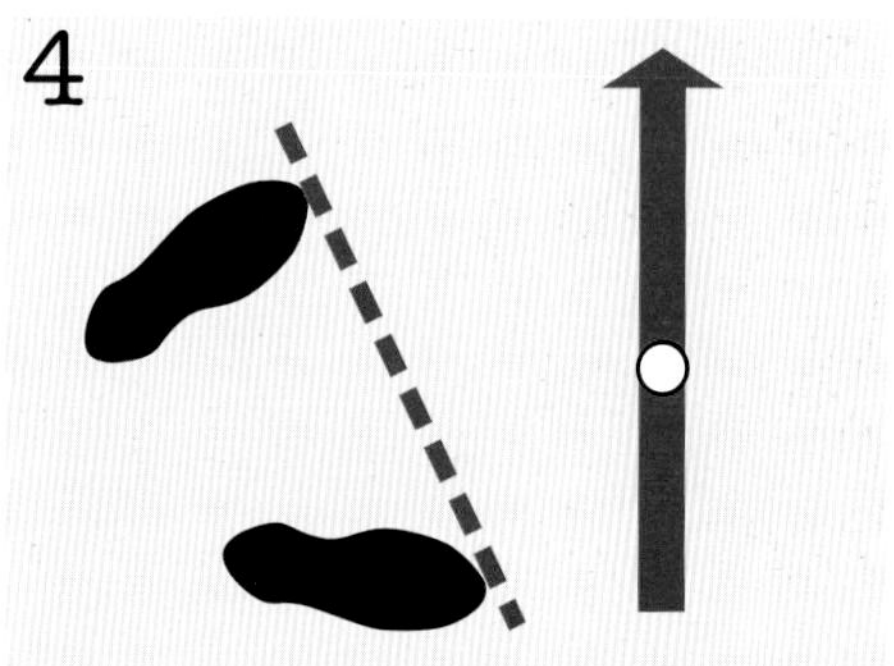

結果として、オープンスタンスで構えることとなる。

バンカーショットは特殊なショットである。どのように特殊かというと、ボールを直接打たずにボールの手前の砂を打ち、その砂の爆発力を利用してボールを脱出させるのだ。

　このときに十分な砂の爆発力を得るためには、ソール（バンス）をうまく使わなくてはならない。ひとことでいえば、リーディングエッジから砂に打ちつけるのではなくて、バンス（P129参照）から砂に打ちつけるわけだ。そのバンスを使いやすい状態にするためには、フェースを開くことが大切。フェースを開けば開くほど、ソールが出っ張り、バンスが大きくなるクラブのしくみを利用する。

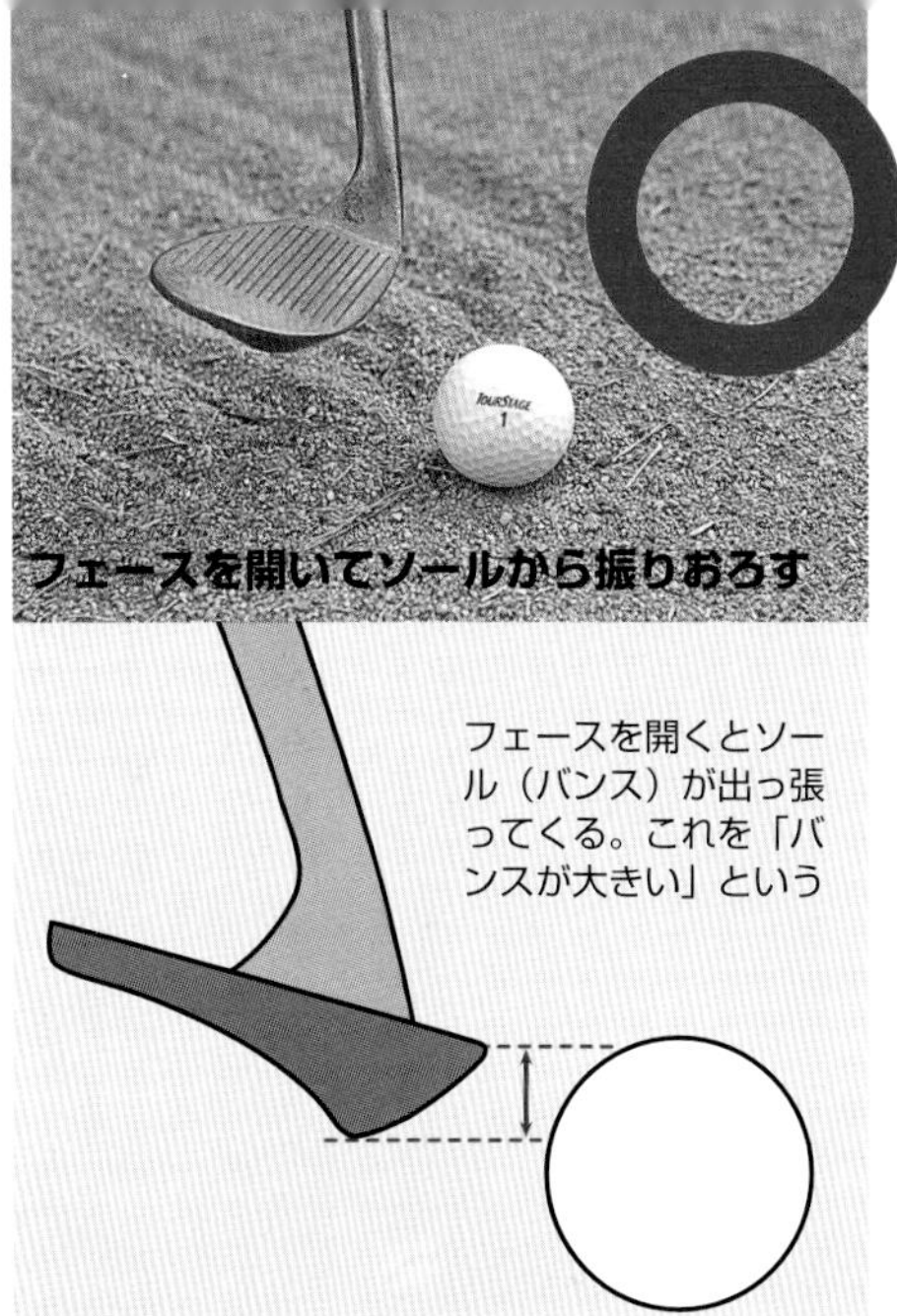

フェースを開いてソールから振りおろす
フェースを開くとソール（バンス）が出っ張ってくる。これを「バンスが大きい」という

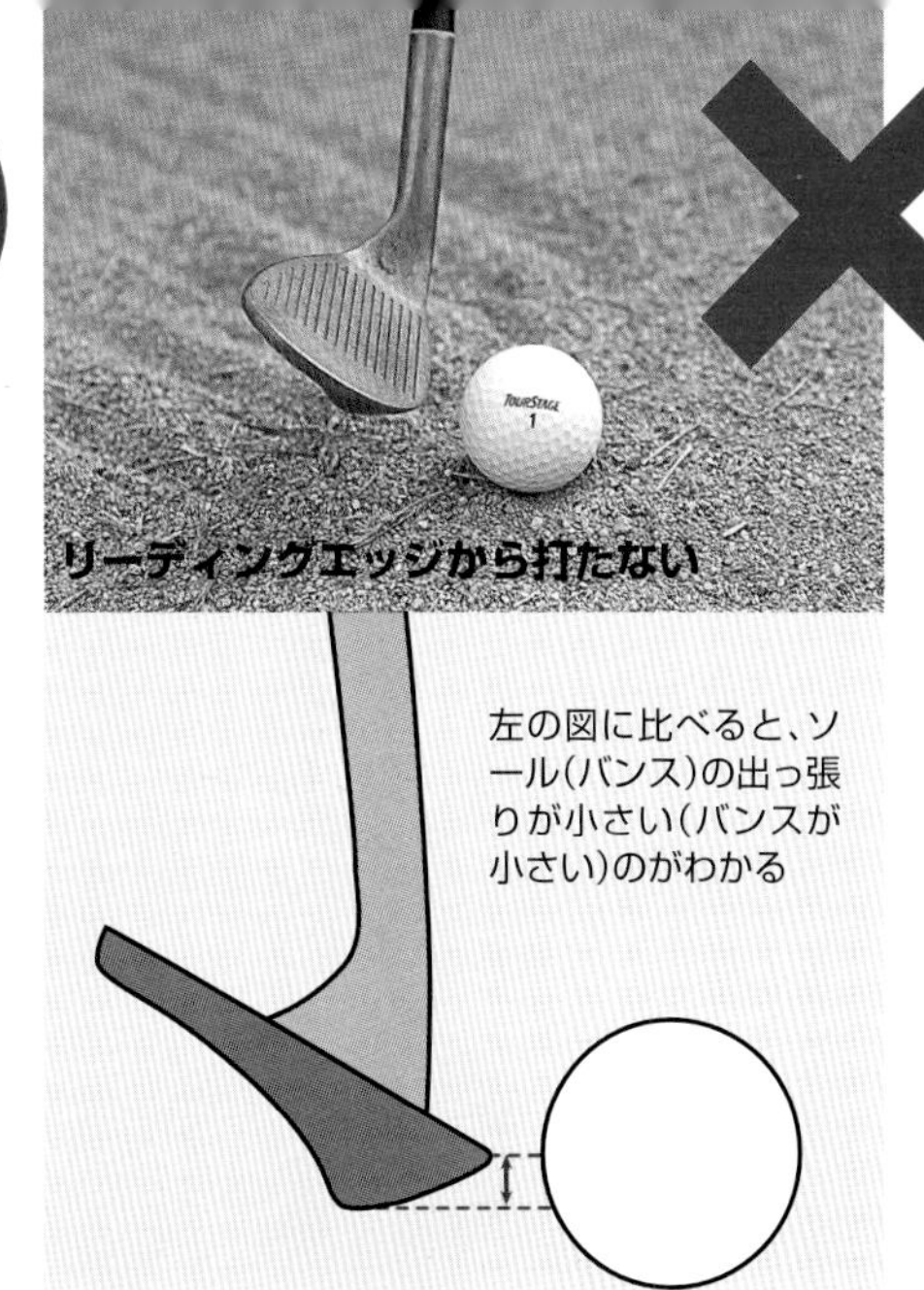

リーディングエッジから打たない
左の図に比べると、ソール(バンス)の出っ張りが小さい(バンスが小さい)のがわかる

ヘッドを入れる位置

ボールの手前
5〜10cmの
ところに
ヘッドを入れる

クラブで変わるバンスの大小にも注目

ソール面には角度があり、これをバンス角という。そしてこの角度が大きくなればなるほどソールは出っ張る。そして、ソールの出っ張りが大きければ大きいほど「バンスが大きい」（上のイラスト参照）という。

バンカーショットで使用するサンドウエッジは、他の番手よりもバンスが大きくなっている。ただし、バンスの大きさはクラブによっても異なるので、自分が使用しているものがバンスの大きいタイプなのか、小さいタイプなのかを知ることも重要だ。バンスが大きいほうが砂の爆発力がより大きくなるため、バンカーショットは簡単になる。

ただし、芝やベアグラウンドからのアプローチショットでは、バンスが大きいとソールの出っ張りでバンスが跳ねてしまい、ダフリ・トップを誘発することになる。選択の難しいところだが、プロはバンスの小さいものを使い、バンカーではフェースを開いてバンスを大きくしている。

ハンドダウンに構え、フェースを開きやすくする！

グリップは体にくっつくようになり、グリップ位置も下がる

ハンドダウンに構える

ハンドダウンになっていない

バンスが十分に出っ張るようフェースを大きく開く

フェースを開いてフェース面を目標方向に向けるため、オープンスタンスになる

フェースの向き

目標方向

スタンスの向き

バンカーショットのグリップや構えのポイントは以下のとおり。

●ハンドダウンに構えフェースを開きやすくする

ハンドダウンにしたぶんだけ、ボールと体との距離は遠くなり、グリップと体の距離は近くになる。

●体重は左右均等

●ボール位置はスタンス中央よりやや左足寄り

ボールの手前を打つため、インパクト地点はスタンスのほぼ中央になる。

●グリップはボール

のほぼ真上にセット

インパクトの衝撃に負けないように、しっかりと握る。

バンカーショット
スイング
1

オープンスタンスで、目標に向かってまっすぐ振り抜く！

バンカーショットは、スタンスの向きに対してインサイドにテークバックする。そしてダウンスイングでは、テークバックの軌道よりも若干外側にループを描くように（インサイドから下ろすのだが、テークバックの軌道よりは若干アウトサイド寄りに）下ろし、まっすぐにターゲット方向に振り抜いていく。

このときテークバックと同時にコックを完成させ、コックを十分に効かせて打つことも大切だ。

また、ヘッドを砂に打ち込んでいく部分は、ボールの手前だいたい5～10㎝のところと考える。つまり5㎝ものインパクトの許容範囲があり、この中にヘッドを入れればOKと、気楽に考えればいいのだ。

1 2

体を開かずダウンスイングすれば、コックは自然に効く！

ダウンスイングで意識してコックを効かせようとすると、コックが早くほどけて逆に効かなくなってしまう

スタンスに対してややインサイドにテークバックする

ややインサイドから振り下ろす

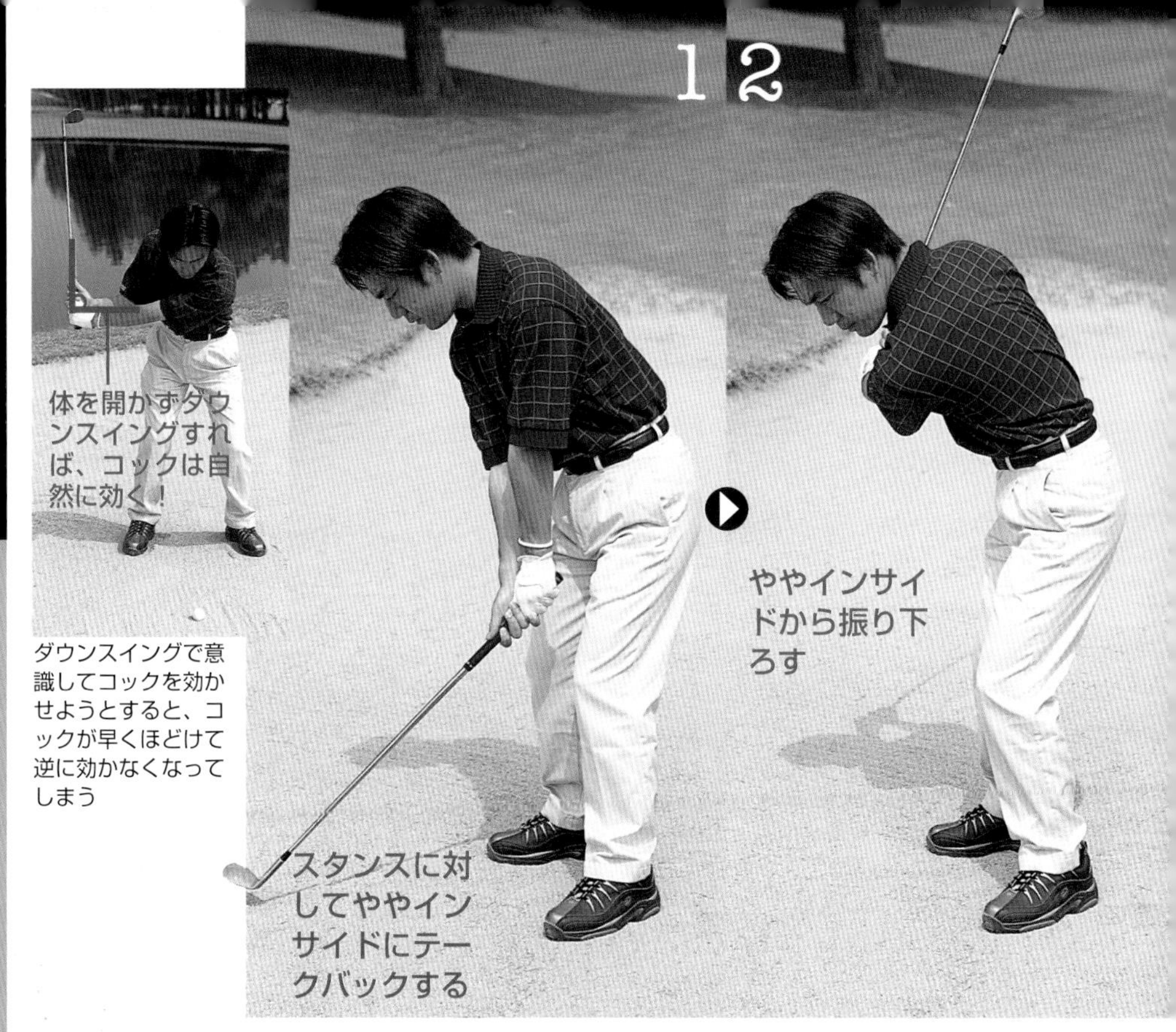

“ダフリOK”と発想を変えればラクに打てる！

バンカーショットが苦手なアマチュアの方が多いようです。しかし、バンカーショットは発想を転換するだけで、ずいぶんと楽なショットになります。

もともとバンカーショットは意図的にダフらせるショットです。ということは、ダフってもOKと考えればいいのです。通常のショットではダフリはミスショットなので、インパクトの許容範囲はきわめて狭いものです。しかし、ダフらせるショットであるバンカーショットは、ボールの5～10cm手前からヘッドを入れていけばいいのですから(P129参照)、インパクトの許容範囲が5～10cmもあるショットなのです。

“バンカーショットは打点が広い簡単なショット”と考え、リラックスした状態で打てばミスショットも少なくなります。逆に「出なかったらどうしよう」とマイナス思考でのぞむと、ヘタに小細工をしてミスにつながってしまうものです。

ヘッドを低く、鈍角に、「ドスン」と砂に入れる

鋭角にヘッドを入れない
ハンドダウンに構えるとヘッドの入射角は鈍角になる。逆にハンドアップに構えてしまうと、入射角は鋭角になる

鈍角にヘッドを入れてくる
ヘッドを低く入れてくれば、入射角は鈍角になる

バンカーを苦手とする人に多いのが、ボールを上げようと意識し過ぎて軸が右に傾いてしまうケース。また、もともとスイングは左に振るために、左寄りに軸がズレてしまうクセのある人も多い。

バンカーショットでは、このような軸ブレに特に注意してスイングしなければならない。

また、ヘッドは“ドスン”という感じで、しっかりと打ち込んでいく。このとき砂へヘッドを入れる角度（入射角）を鈍角にするのがポイント。

入射角が鋭角過ぎると、ヘッドが砂に潜り過ぎ、エクスプロージョンの効果がボールに伝わらなくなってしまうのだ。ボールに対してヘッドを低く入れていけば、鈍角に砂を打ち込める。

体の軸を安定させる

体の軸を意識してスイングする

両足均等の体重配分のままスイングに入る

1 2 3

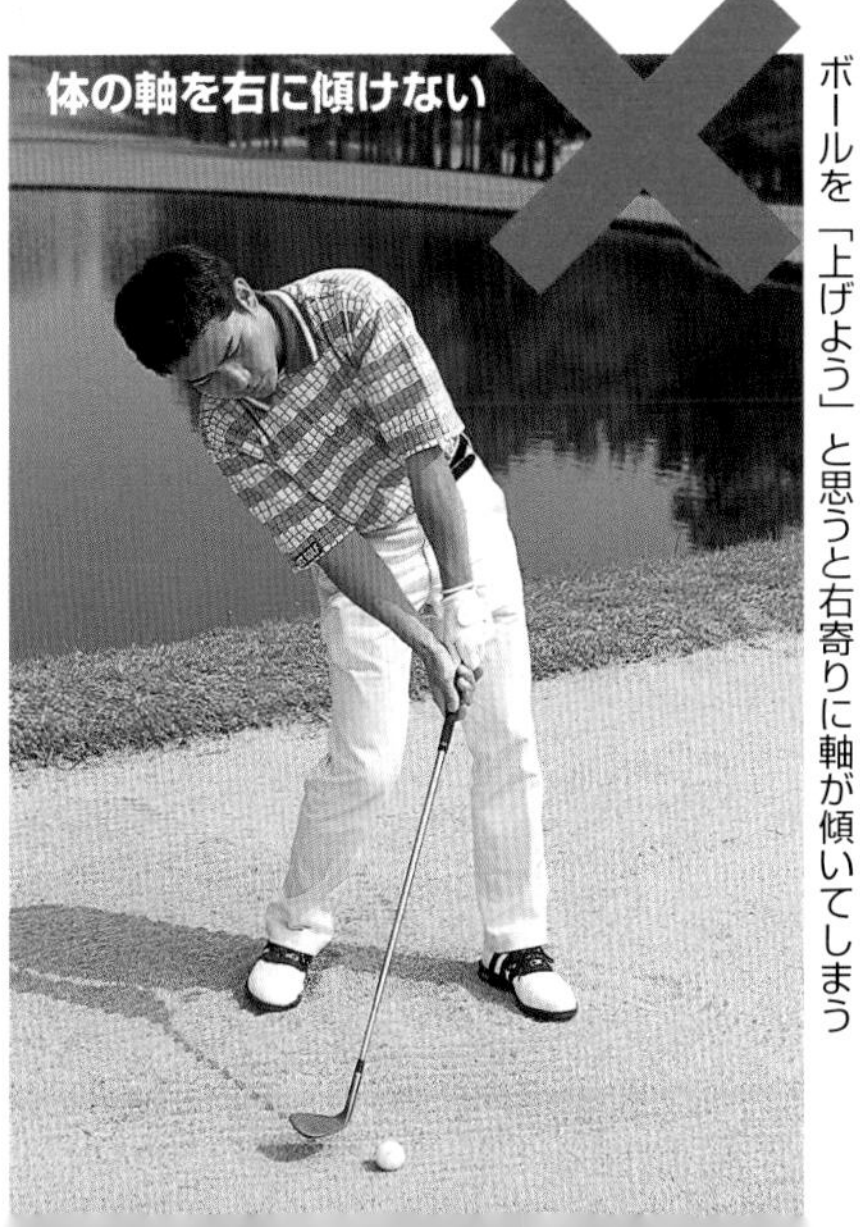

ボールを「上げよう」と思うと右寄りに軸が傾いてしまう

入射角を気にしてインパクトを弱めないように注意

バンカーショット
距離感をつかむ

フルショットの振り幅を、距離感の基準にする

振り幅で距離を調節

距離感はインパクトの強さで調整しない。上の点線で描いた図のように、基準となるトップの大きさAを決めたら、それ以下の距離は振り幅の大きさで調整する。例えば飛距離20ヤードでAの位置がトップとした場合、15ヤードならB、10ヤードならCの位置がトップ、というた具合に自分のスイング専用の物差しをつくっておく

エクスプロージョンショットの場合、どんなにパワーのある人でもサンドウエッジで30ヤードが飛距離の限界。それ以上の距離は、アプローチウエッジやピッチングウエッジを選択する方法もある

砂を爆発させて打つバンカーショットの距離感は、アプローチショットの距離感をつかむよりも難しい。距離感をつかむためにまず必要なのは、自分のエクスプロージョンのフルショットが、何ヤード飛ぶのかをしっかりと把握することだ。

例えばエクスプロージョンのフルショットがキャリーで20ヤードであった場合、このフルショットのときの振り幅を基準として、自分の中に距離感の物差しをつくる。アプローチの場合と同じように、時計の針に置きかえ、振り幅の大きさを振り幅を調整するとわかりやすい。

40～60ヤードのバンカーショットを打つ

グリーンまで30ヤード以上の距離があるバンカーは、ガードバンカーではなくクロスバンカーと考えたほうがいい。技術的にはクリーンに打つ方法と、アプローチウエッジやピッチングウエッジを使う方法がある。

●クリーンに打つ場合

この場合はピッチショットの打ち方をする。インパクトで構えたところに腕を戻してくる意識で、体と手を一体化させ、体の回転主体でスイングするのだ。コックは特に意識してつくらず、自然体にまかせたコッキングをする。また、砂の抵抗を受けるため、飛距離が10%前後落ちることも計算する。少しでもダフると満足に飛ばず、少しでもトップすると当たり過ぎのホームランになるので、打点がシビアなショット。

●エクスプロージョンショットで打つ場合

クラブをアプローチウエッジかピッチングウエッジにする。この打ち方をする場合は、あらかじめエクスプロージョンで打ったフルショットの距離を知っておかなければならない。そして、そのフルショットの距離以外での使用は避けたほうがいい。

いずれにしろこの距離のバンカーは、グリーンにのったらもうけもの、近くに寄ればOK、という気軽な意識を持つ。

スイングはなりゆきで振る!

飛距離は振り幅の大きさで決め、スイングはなりゆきで振ってフィニッシュは意識しない

20ヤードの振り幅のフィニッシュ

10ヤードの振り幅のフィニッシュ

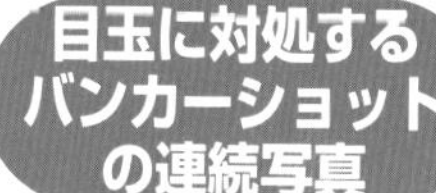

フェースをかぶせて、砂ごとボールをかき出す

目玉になったボールは、通常のバンカーショットのようにバンスを使ったエクスプロージョンショットでは対処できない。ボールが砂にもぐっているため、通常の爆発力ではボールが上がらないからだ。

目玉の状態からは、フェースかぶせて構え、リーディングエッジからヘッドをボールの下に入れ込むようにする。ボールを打つというよりも、砂ごとボールをかき出すつもりで打とう。

8 9

フィニッシュは大きく取らず、打ってなりゆきで終わりにする

フォロースルー　フィニッシュ

1

2

鋭角的にヘッド
を上げていく

3

アドレス　テークバック

5

6

鋭角的に振り
下ろす

7 POINT

砂ごとボールをかき出す
つもりで

トップ　ダウンスイング

インパクト

鋭角にリーディングエッジから打ち込んでいく！

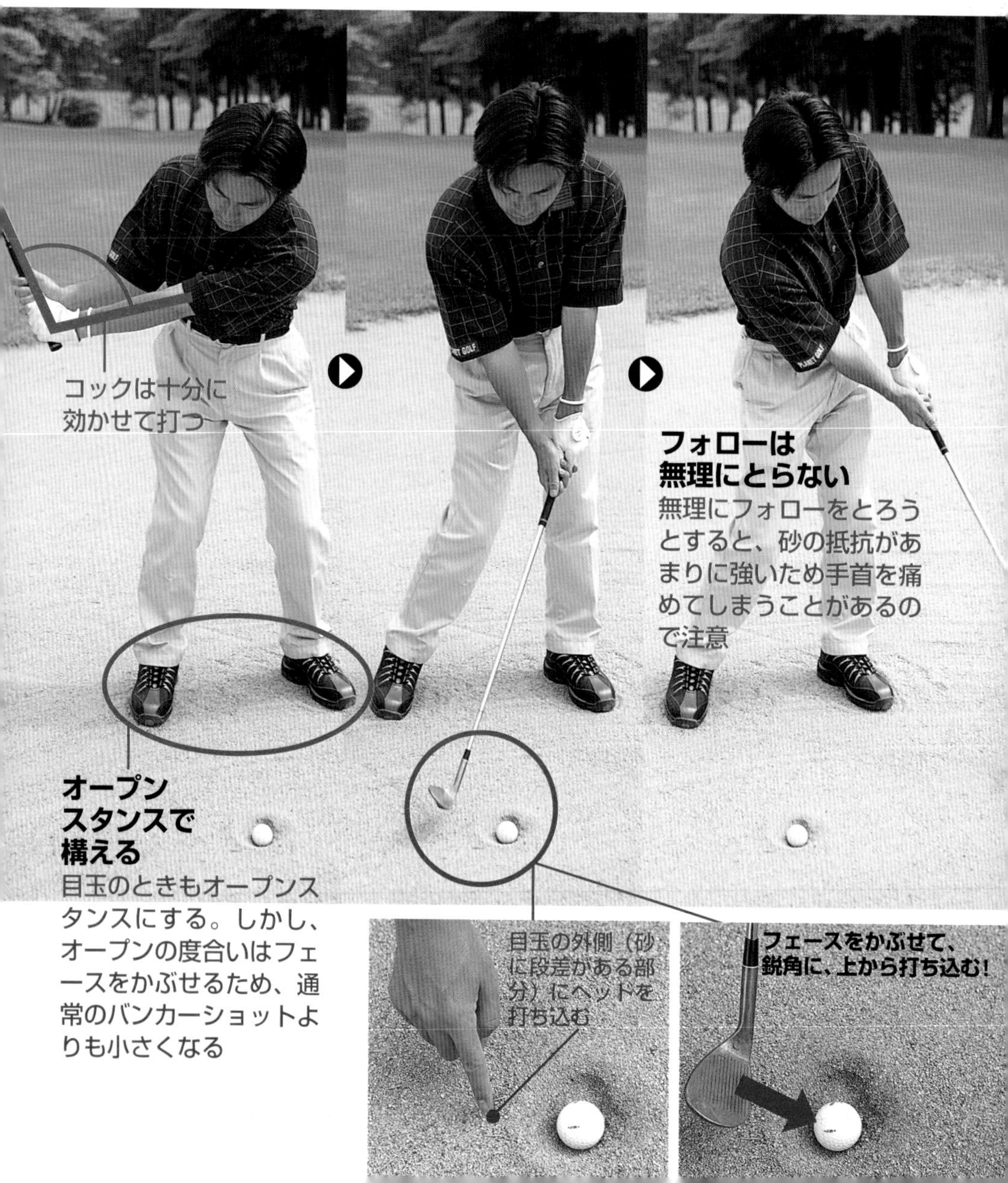

目玉対策で大切なのが、フェースがボールの下まで入るよう、フェースをかぶせて構え、スイングすること。そして、目玉の盛り上がっている部分にリーディングエッジ（歯）からヘッドを打ち込んでいく。通常のバンカーショットと同じでハンドダウンに構えるが、フェースを閉じている分ハンドダウンの強さを弱めるようにする。

インパクト時の入射角は、通常のバンカーショットとは逆の鋭角にする。鋭角にすることで、ヘッドが砂の奥に入り込み、砂ごとボールをかき出せるようになる。また、砂の抵抗が大きいためフォローは取れない。ダウンと打ち込んで終わり、という感覚で打つ。

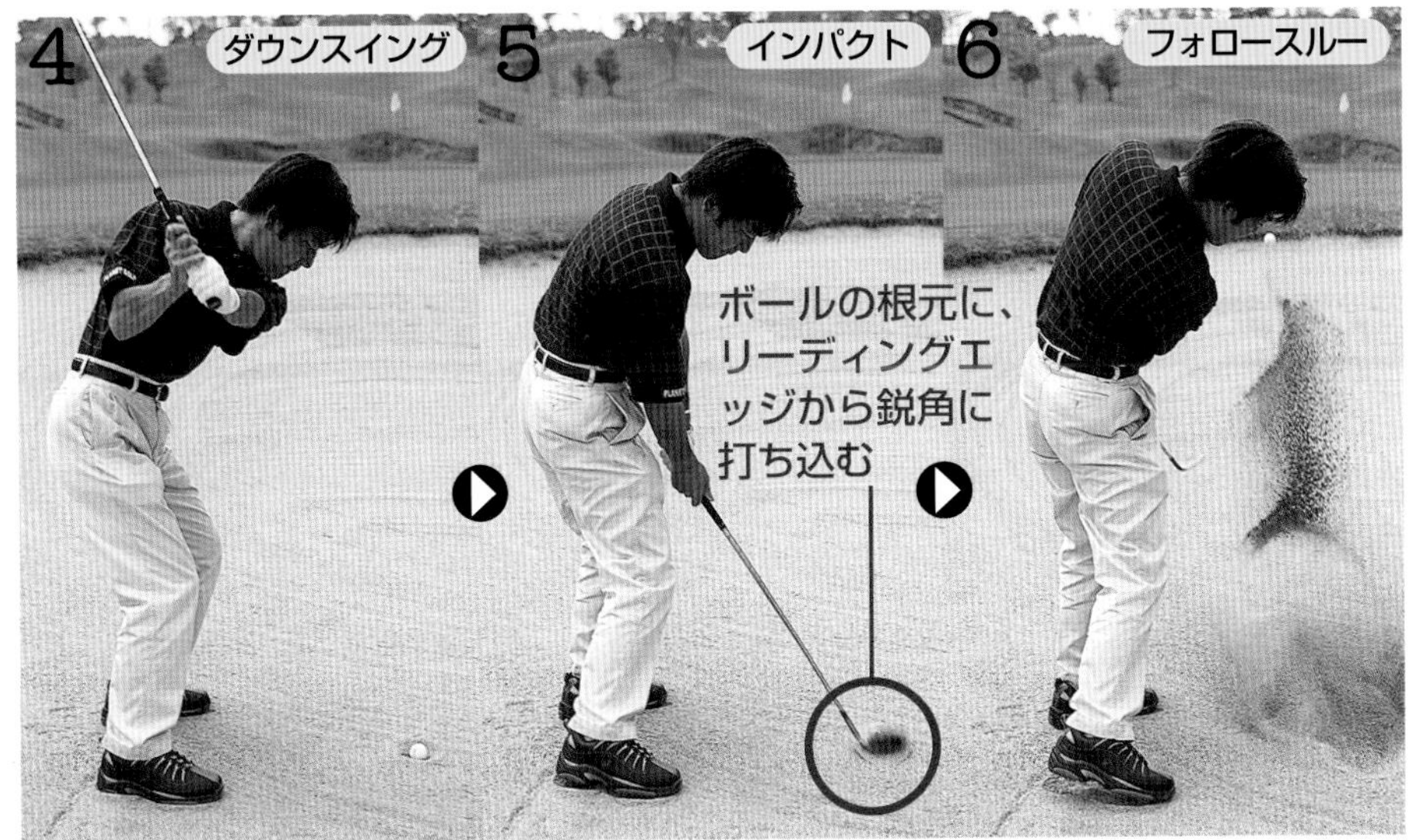

用語解説 目玉／ボールが砂に埋まった状況をいう。砂が柔らかい場合や雨で砂がゆるんでいる場合は目玉になりやすい。また、受けている斜面にライナー性のボールが飛んだ場合も目玉になりやすい

バンカーショット

高い弾道の球を打つ

インサイド・アウトの軌道で、フィニッシュを高くとる

高い球を打つときは、フェースを大きく開いてボールを上げようとしない。フェースを開き過ぎると距離が出なくなる。高い球を打つときも、フェースの開き加減はいつもと同じにし、スイング軌道を変えることで対応する。

いつもよりインサイドからクラブを振り下ろし、フィニッシュを高くとる。つまり通常よりフィニッシュポイントを高くとれば、ヘッドがまっすぐに、高く振り抜かれていくため、ボールが高く上がるのだ。

アドレス時に目線を高くして構えると、右手右肩が下がるためフィニッシュが高くなる

フィニッシュを高くとると、結果として高い球の弾道になるため、ボールは高く上がる

低い弾道のバンカーショットを打つ

インサイド・インの軌道でフィニッシュを低く

通常よりフィニッシュを低くとることがポイント。こうすればヘッドが低く振り抜かれて弾道は低くなる。バンカーショットで低いボールを打つときは、ピンがグリーン奥にある場合や、ランを有効に使いたいときなど。

スピンをかける

ボールと砂の接点にヘッドを入れて、砂を薄くとる

バンカーでスピンをかけるポイントは以下のとおり。

- フェースのオープン度を高め、フェースを大きく開く
- ボールの少し手前からフェースを入れ、ボールの下を滑るようにヘッドを抜いていく
- コックを十分に効かせハイスピードでヘッドを振りきる。ヘッドスピードは速いほどいい。柔らかく打つとヘッドが走らない

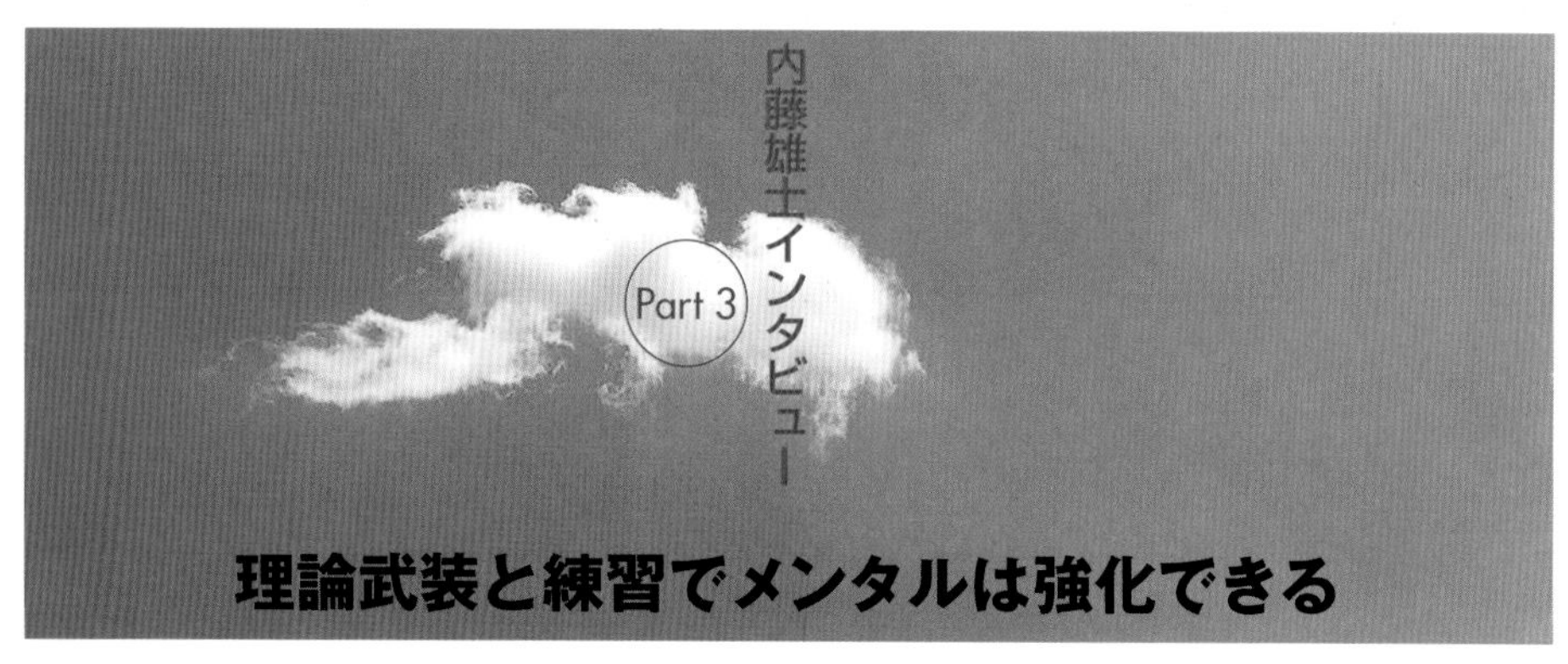

理論武装と練習でメンタルは強化できる

Q. ティーチングの時にビデオを使用していますね。ビデオを使ってどんな風にレッスンするのですか。

内藤 ビデオは主に、フロント（正面）とバック（後方）からスイングを撮ります。まずバック・ビューですが、このアングルではスイングの軌道とフェースの向きをチェックします。このふたつで球筋が分かりますので、それを矯正するのです。このアングルは、即効性のあるレッスンを行うために使います。

　一方フロント・ビューは、スイングバランス、重心の移動、そして捻転をチェックします。これはすぐに直る部分ではないので、長い目で見て体の動かし方を変えていくレッスンに使います。

Q. ところで、ゴルフはスイング面だけでなくメンタル面が大きく影響するスポーツですが、メンタル面を鍛える良い方法というのはありますか？

内藤 メンタル面を強くするためには、ふたつの方法があります。ひとつはしっかりと理論武装をすることです。ミスをして窮地に陥ったときにはどうすれば良いのか、なぜそうなるのか（ミスをしたのか）など、理論をしっかりと持つことで自信が生まれ、メンタルによってプレーが左右されにくくなります。

　もうひとつの方法は、練習をしっかりすることです。そうすれば「これだけ練習しているから大丈夫」という自信がつき、技術面以上にメンタル面が確実に強くなります。

　このふたつができていないと、ミスをしたときにパニックに陥ってしまい、スコアを崩していってしまうのです。

4章

カップインを狙う！
パッティング

狙いどおりに決まる
ストローク術から、距離感、
グリーンの読み方まで
徹底解説！

ショートパットの連続写真
（1mのショートパット）

フェース面を正確にセットし強めに打つ

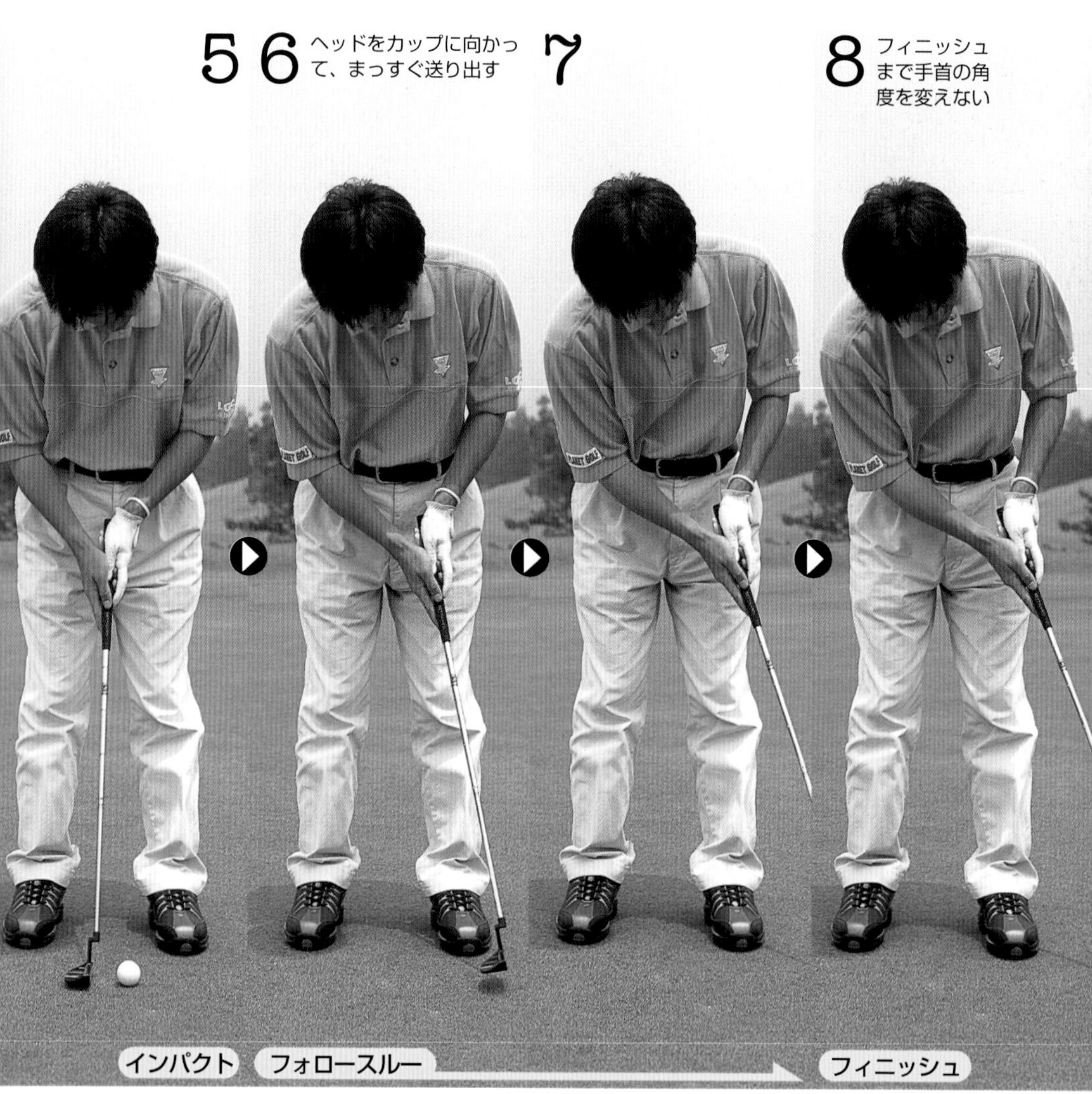

パッティングのストロークでまず大切なことは、構えたときに両腕・両肩・手首を結ぶ線で五角形（P158参照）をつくること。この形を維持したままストロークすることで、安定したパッティングができる。

また、ショートパットではカップに対してフェース面をまっすぐに向けて構え、しっかりインパクトすることが大切だ。

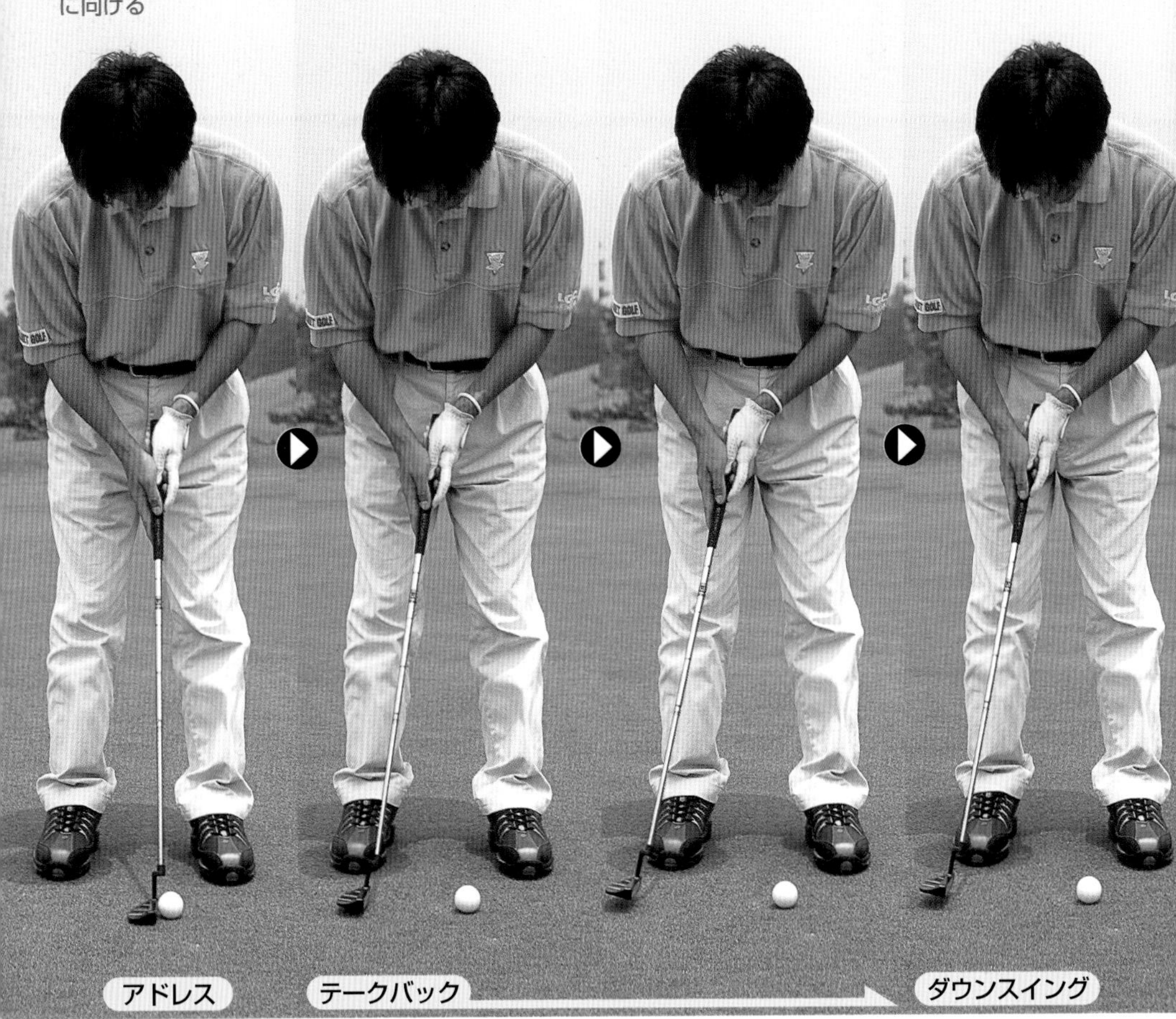

ショートパットの
連続写真（後方）

3 4

トップ

7 8 9

フォロースルー

フィニッシュ

1

ターゲットライン
に対してスクエア
に構える

アドレス

2

POINT
ターゲットライン
に対して真っすぐ
ヘッドを引く

テークバック

5

まっすぐに打ち出していく

ダウンスイング

6

インパクトまで頭は残しておく。インパクト前に目でボールを追うと体がブレる

インパクト

ロングパットの連続写真
（10mのロングパット）

五角形と手首の形をキープして、距離をしっかり合わせる

ロングパットも基本的な打ち方はショートパットと同じだが、距離が長いぶんだけストローク（振り幅が）が大きくなる。ストロークが大きくなると、腕・肩・手首でつくる五角形が崩れやすくなり、手首も折れやすくなる。つねに五角形と手首の角度に気をつけながらストロークしよう。

4

テークバックの大きさで距離感を決める

7　8

フォロースルー 　フィニッシュ

1 2 3

POINT

腕・肩・手首でつくった五角形をキープする

アドレス　テークバック

5 6

ダウンスイング　インパクト

グリップ

左手人さし指をまっすぐ伸ばし、手首の自由をなくす

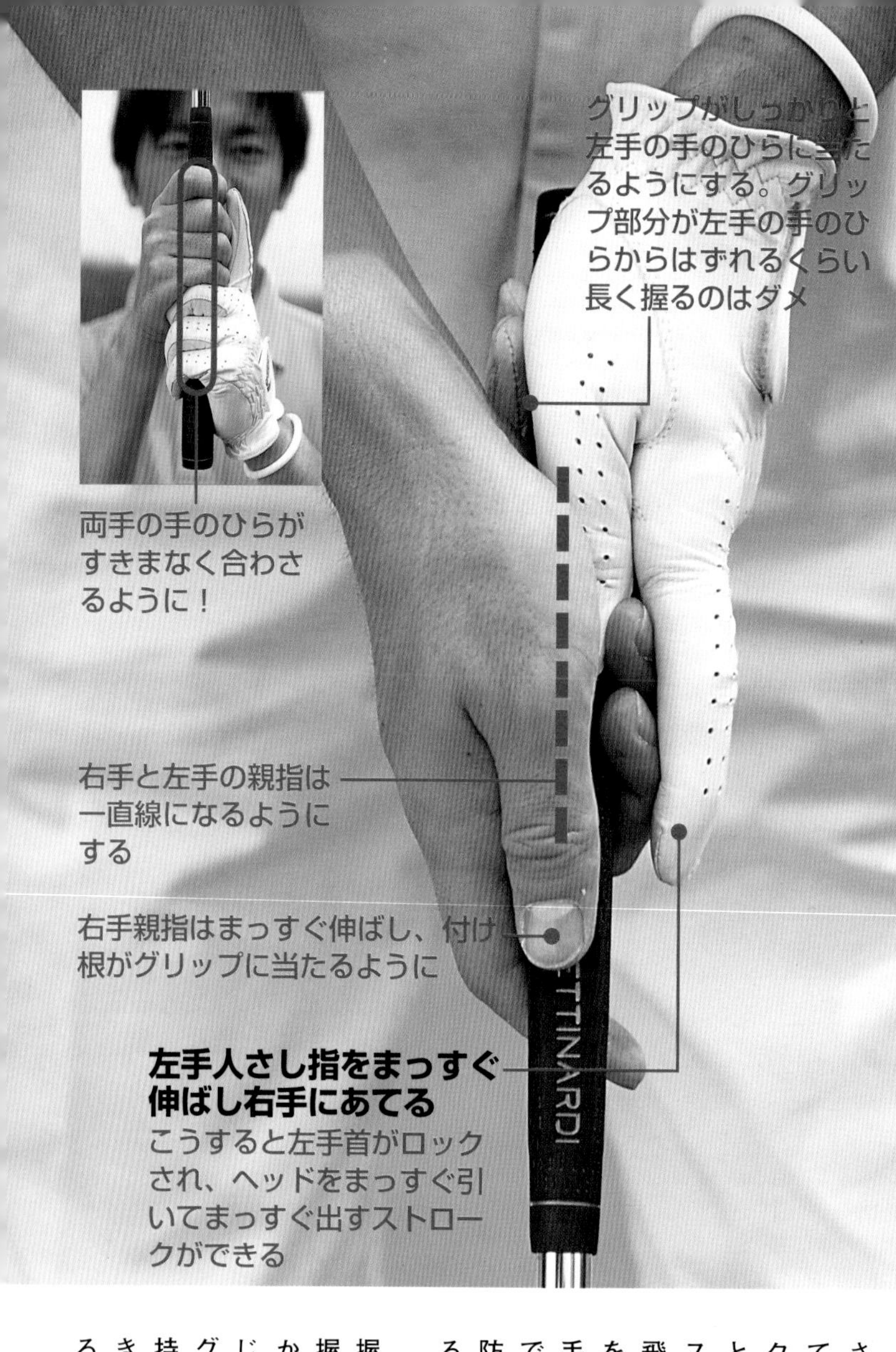

グリップがしっかりと左手の手のひらに当たるようにする。グリップ部分が左手の手のひらからはずれるくらい長く握るのはダメ

両手の手のひらがすきまなく合わさるように！

右手と左手の親指は一直線になるようにする

右手親指はまっすぐ伸ばし、付け根がグリップに当たるように

左手人さし指をまっすぐ伸ばし右手にあてる
こうすると左手首がロックされ、ヘッドをまっすぐ引いてまっすぐ出すストロークができる

パッティングは、左手人さし指をまっすぐに伸ばして握り、あえて手首をロックさせて使いにくくする。というのもパッティングはストロークの幅も小さく、飛ばす必要がないので手首を使う必要がない。故意に手首を使えなくすることで、手首の不用意な動きを防ぎ正確にストロークできるようにするのだ。

握る強さはギュッと強く握ったり、指先に力が入る握り方は良くない。どちらかというとフワッという感じでゆるめに握る。また、グリップは少しあまらせて持ち、両手の手のひらがすきまなくグリップと合わさるように握る。

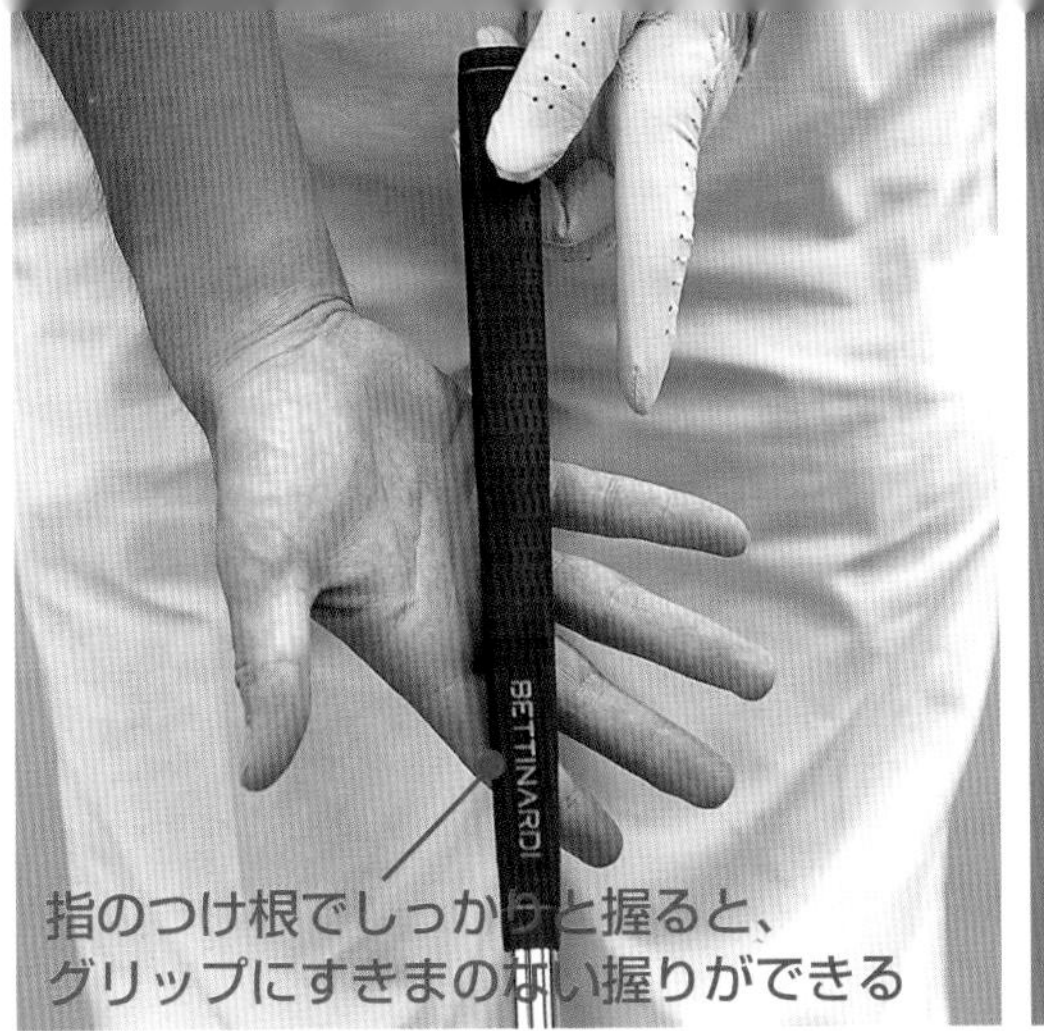

指のつけ根でしっかりと握ると、グリップにすきまのない握りができる

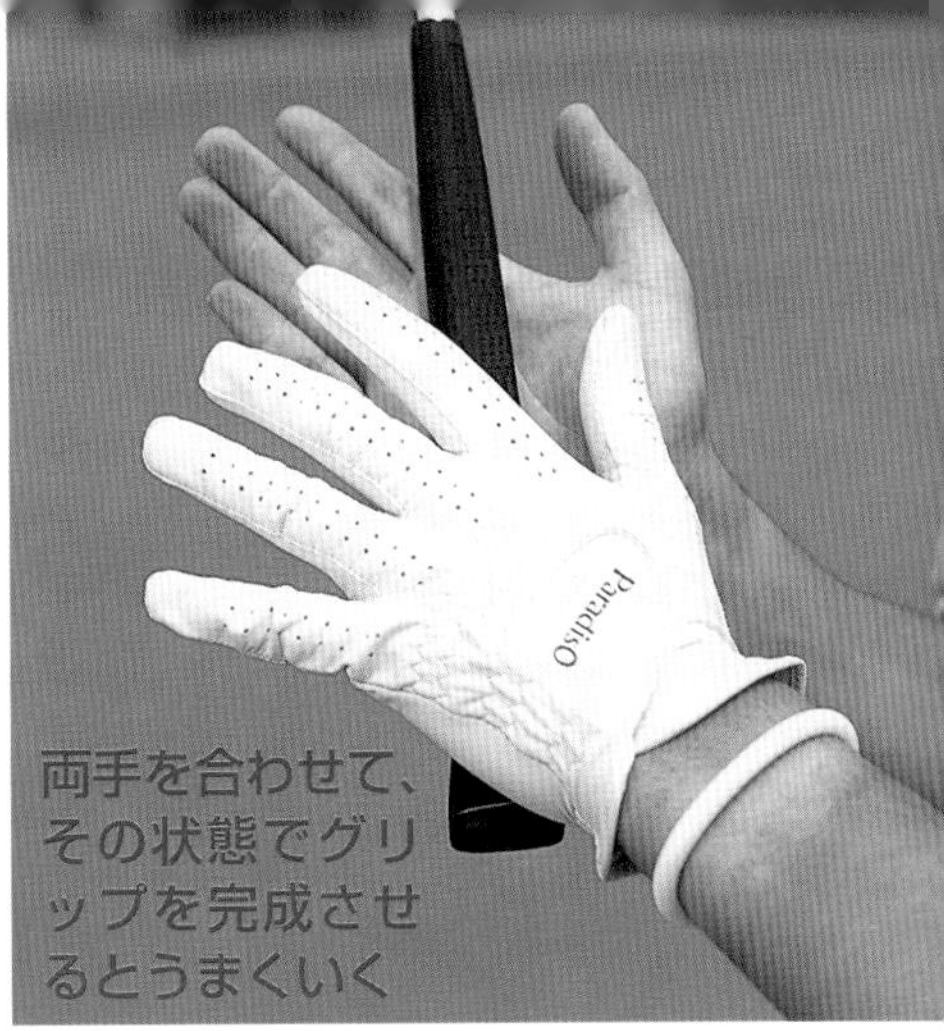

両手を合わせて、その状態でグリップを完成させるとうまくいく

ストロークしやすいグリップにするのが、パッティンググリップの基本。ヘッドをまっすぐ引いてまっすぐ出しやすいグリップにする

こんなグリップはダメ！

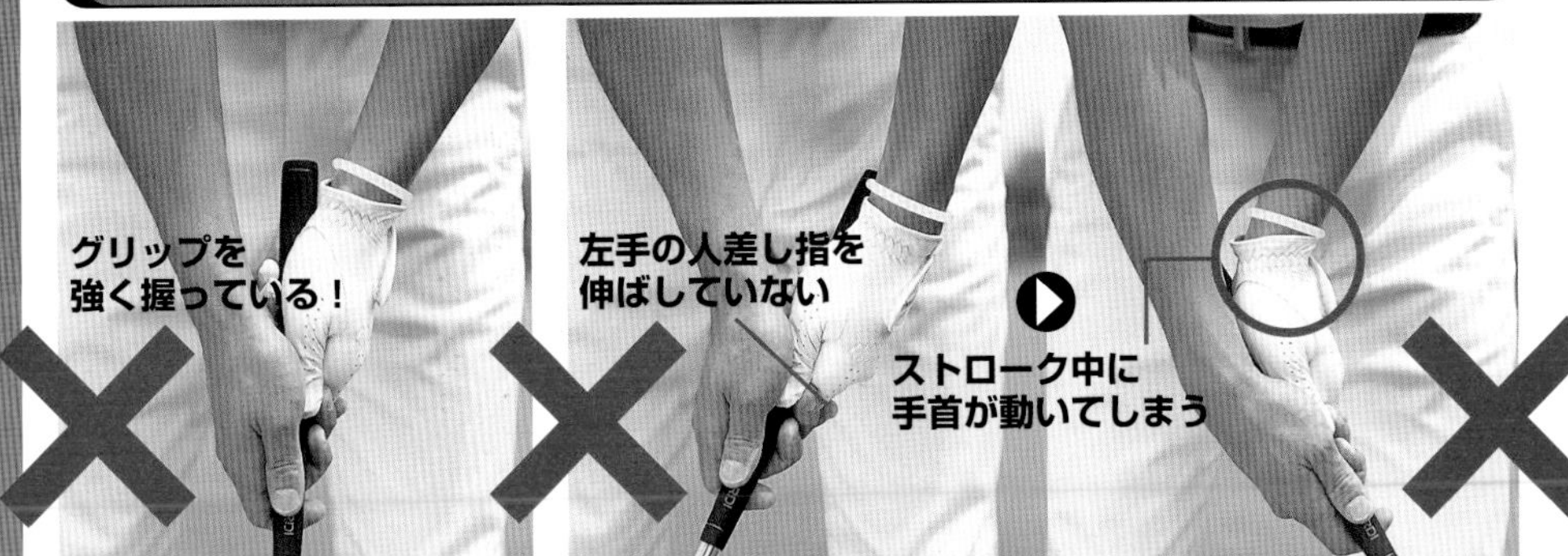

パッティンググリップの握り方

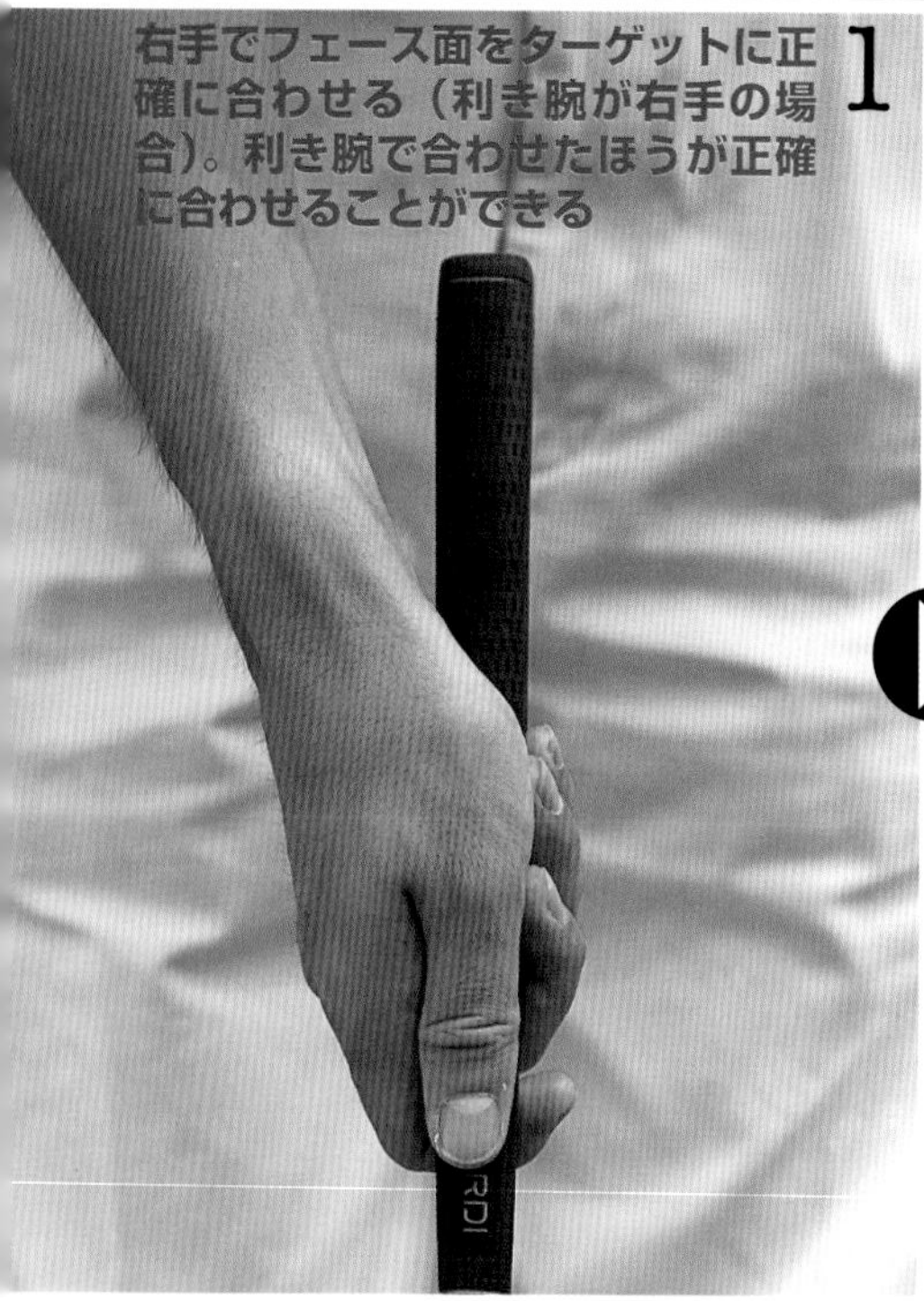

1 右手でフェース面をターゲットに正確に合わせる（利き腕が右手の場合）。利き腕で合わせたほうが正確に合わせることができる

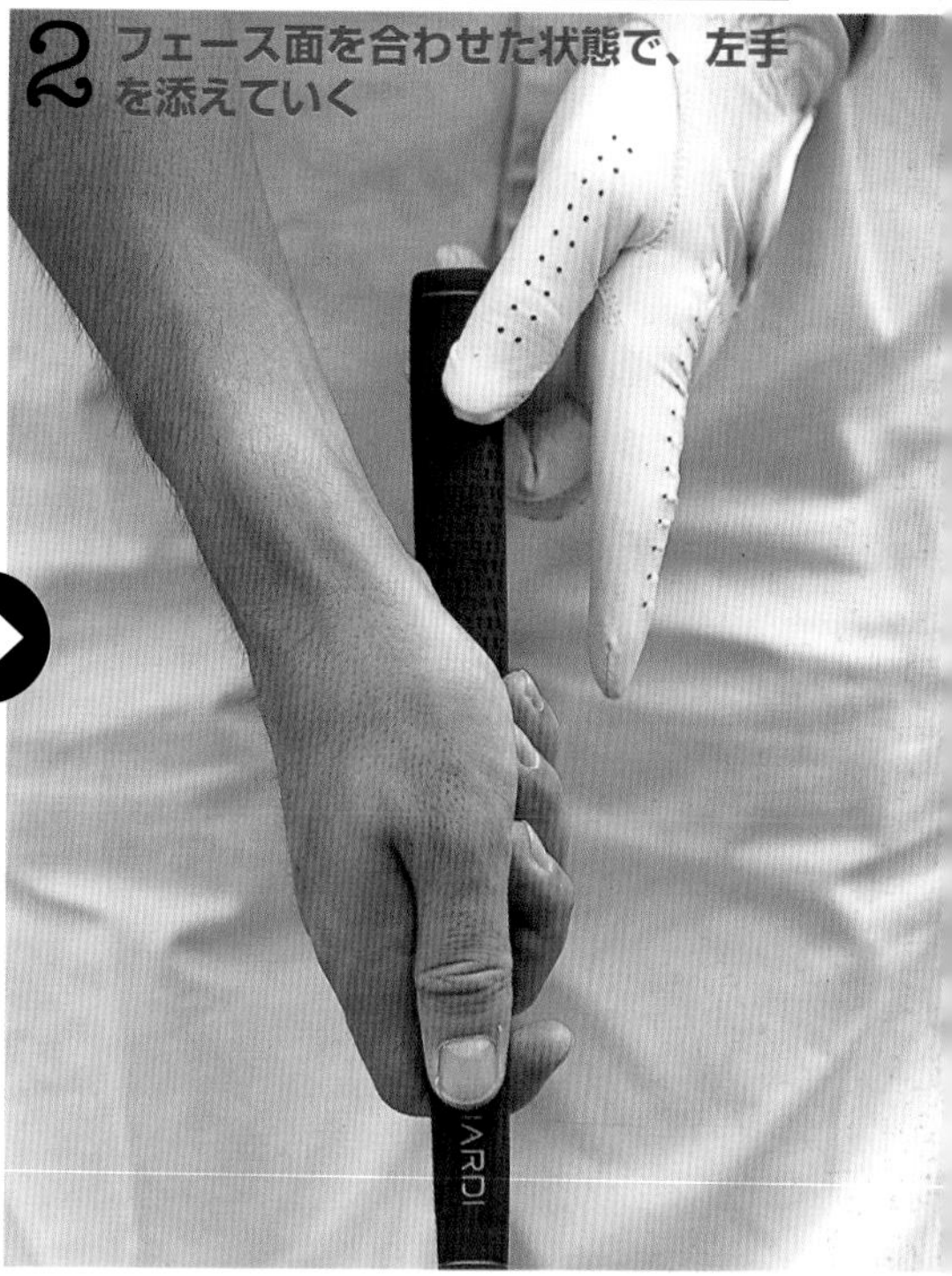

2 フェース面を合わせた状態で、左手を添えていく

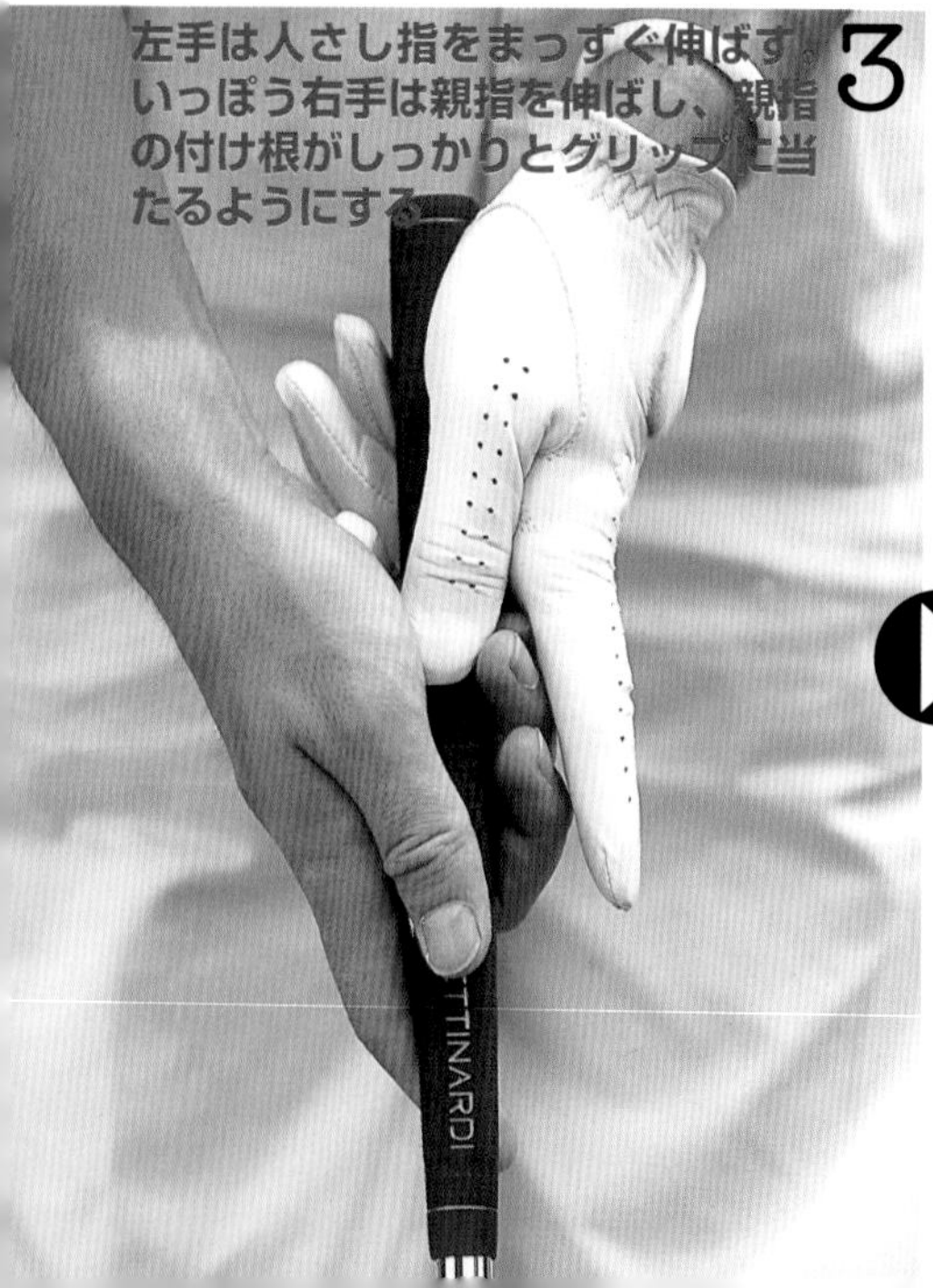

3 左手は人さし指をまっすぐ伸ばす。いっぽう右手は親指を伸ばし、親指の付け根がしっかりとグリップに当たるようにする

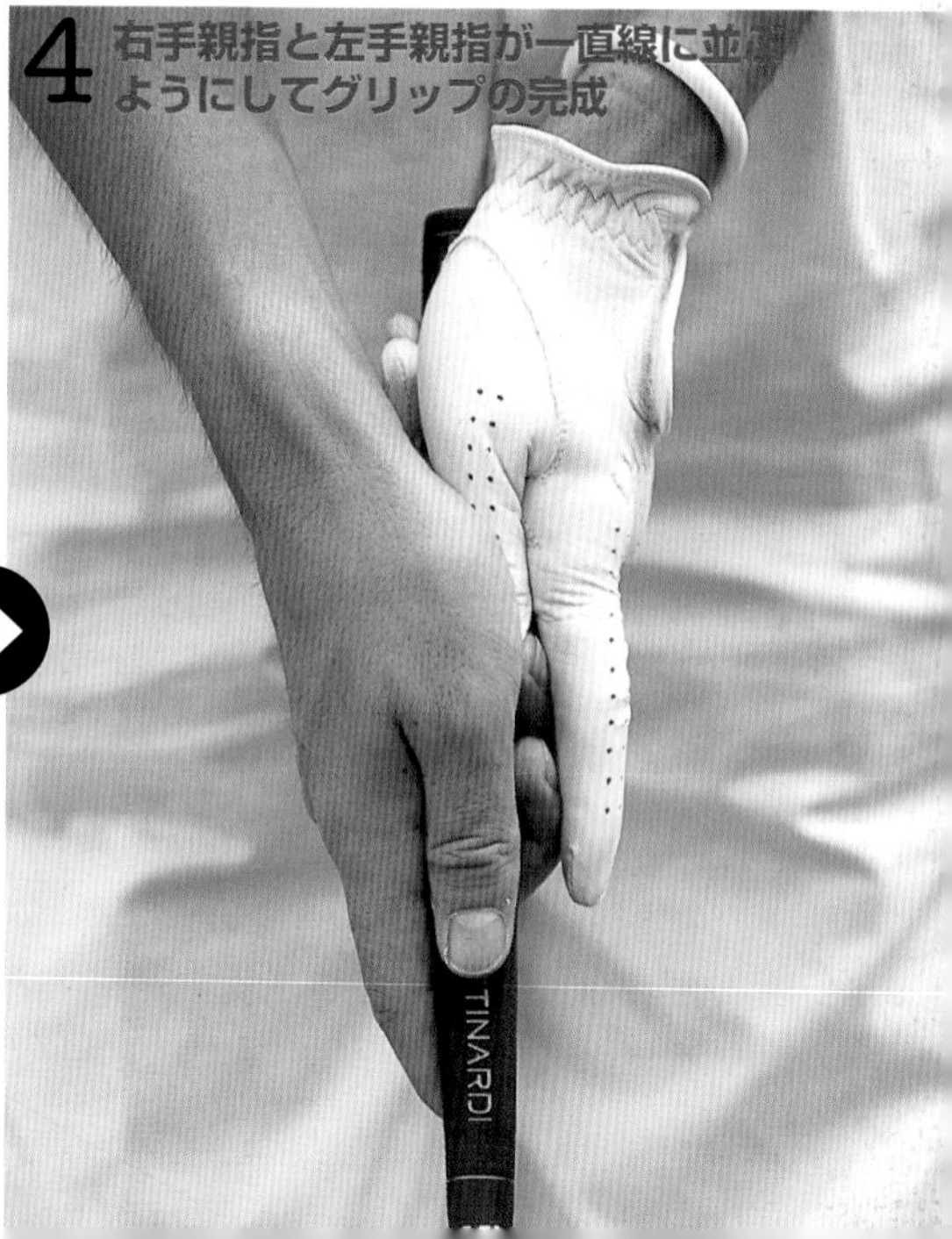

4 右手親指と左手親指が一直線に並ぶようにしてグリップの完成

グリップ完成後のチェックポイント

チェック❶
ギュッと強く握っていないか

チェック❷
グリップにすきまはないか

チェック❸
グリップが左の手のひらに当たっているか

チェック❹
左手の人差し指が伸びているか

チェック❺
左手の甲が目標方向を向いているか

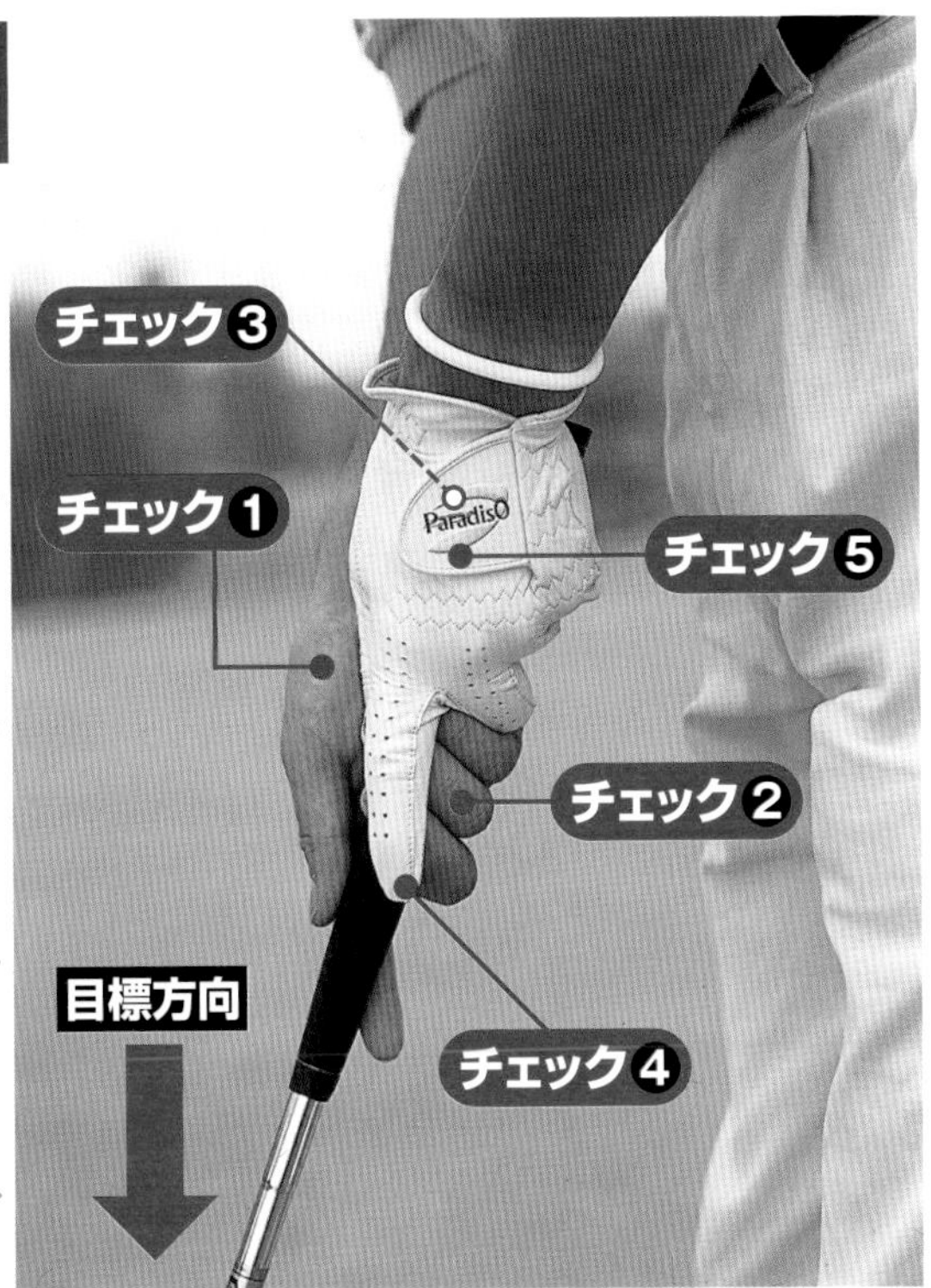

ショートパットに威力を発揮するクロスハンドグリップ

ショートパットが苦手という人は、クロスハンドグリップを試してみてはいかがでしょうか。クロスハンドグリップは右手と左手が、通常のグリップとは上下逆になる握り方です。特徴はストローク中に肩のラインが上下しすぎないため、ヘッドをまっすぐに動かしやすいことです。そのため、安定したストロークができ、特にショートパットで威力を発揮します。しかし、ロングパットでは距離感がつかみにくいという欠点もあります。

正面から見たクロスハンドグリップ

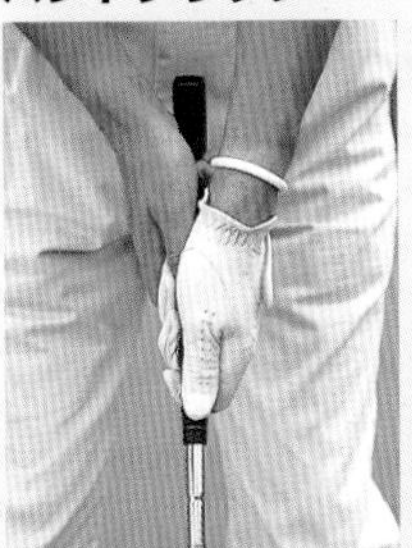

後ろから見たクロスハンドグリップ

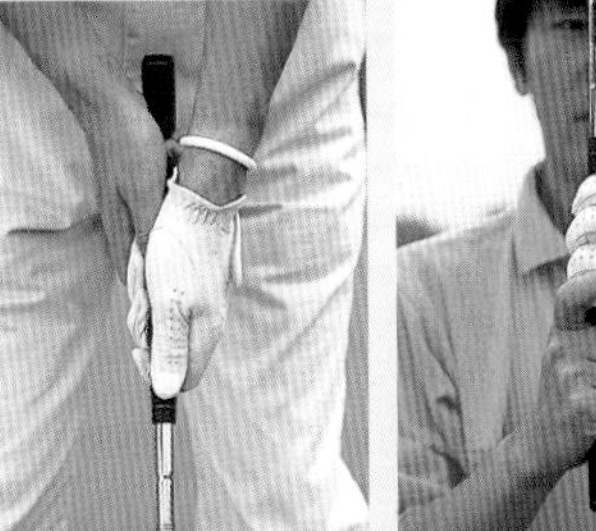

通常とは逆に、左手が下になり、右手が上になる

クロスハンドグリップの握り方

左手を肩の真下にダラリと垂らしてセットし、次に右手を添えて完成させる

アドレス

両肩のラインの真下に両手を構える

パッティングのアドレスは、構えたときに両肩のラインの真下に手がくるようにする。そのための手順は、①上体を前傾させる②腕をリラックスした状態でダラッと下げ、両手を合わせる③両手を合わせた位置にパターをセットする、以上の3つ。

肩のラインの真下に両手がくるように構えたら、スタンスは肩幅の広さにし、体重を両足に均等にかける。ボールは目の真下、かつ左の鎖骨(さこつ)の真下に置けばアドレスは完成だ。

1

リラックスした上体で左手をダラッと下げる

左手を下げた後に右手を合わせる

両手を合わせた位置がパターをグリップする位置になる

1の写真を横から見たとき。肩の下に自然にダラリと左手をたらす

2

ボールの位置は目の真下、
かつ左の鎖骨の下

グリップ位置が左右に
大きくはずれている

両手を合わせた
位置でパターを
セットする

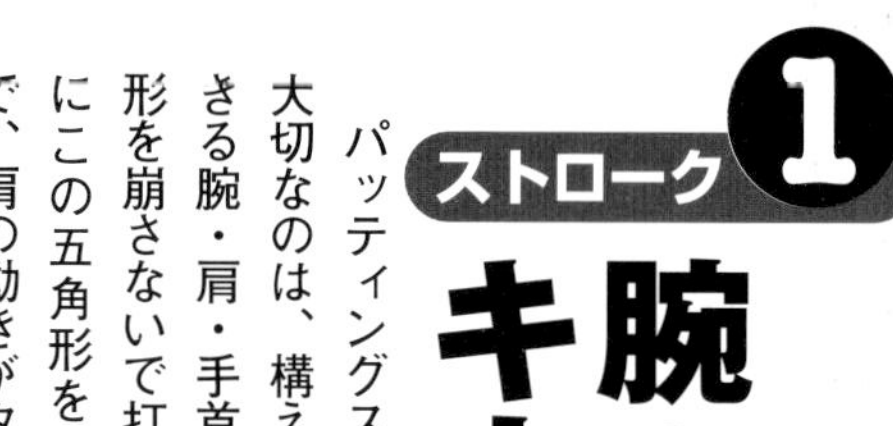

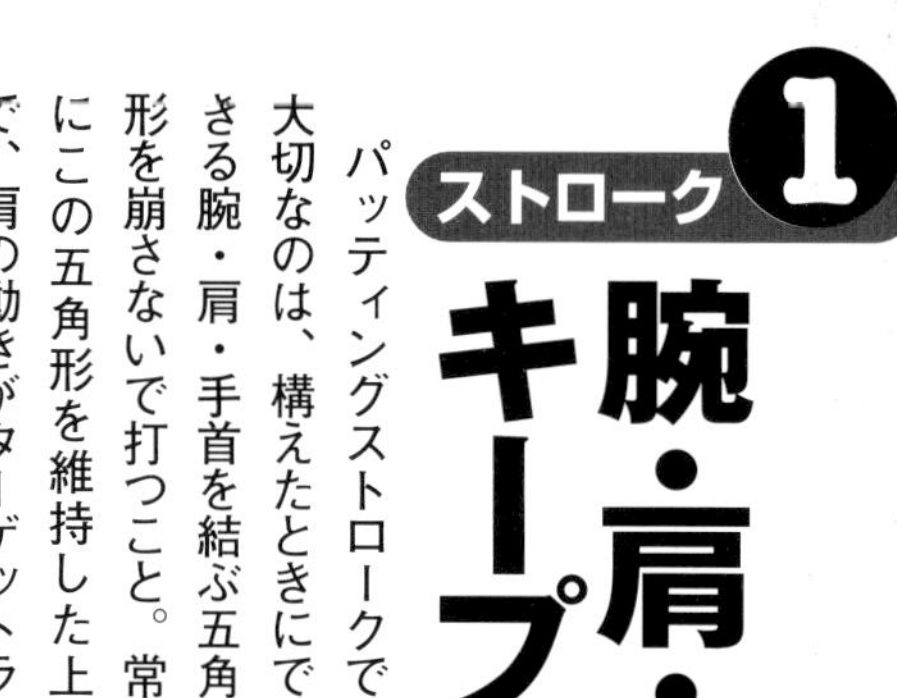

腕・肩・手首を結ぶ五角形をキープしてストローク

パッティングストロークで大切なのは、構えたときにできる腕・肩・手首を結ぶ五角形を崩さないで打つこと。常にこの五角形を維持した上で、肩の動きがターゲットラインと平行になるようにストロークする。ターゲットラインに対して平行に肩が動くことで、ストローク中にヘッドをまっすぐ引いたり、出したりすることが可能になるのだ。

ストローク中に肩の上下動が大き過ぎると、ターゲットラインに対して肩がクロスする形になり、まっすぐなストロークの軌道にズレが生じてしまう。

肩のラインとターゲットラインは平行に

肩のラインを大きく上下動させると、ターゲットラインとの平行を保てない

肩のラインを大きく上下動させない ○

肩のラインが大きく上下動してしまう ×

肩のラインが大きく上下動すると、ヘッドがうまくコントロールできない

腕・肩・手首を結ぶ五角形を維持する！

アドレスからフィニッシュまで、上体の五角形は崩さないようにする

手首を使わず肩のラインで打つ感覚で！

手首はアドレス時のままストローク。手首を折ったり、返したりしない

ストローク 2

ヒザをあまり曲げず、上体だけを前傾させる

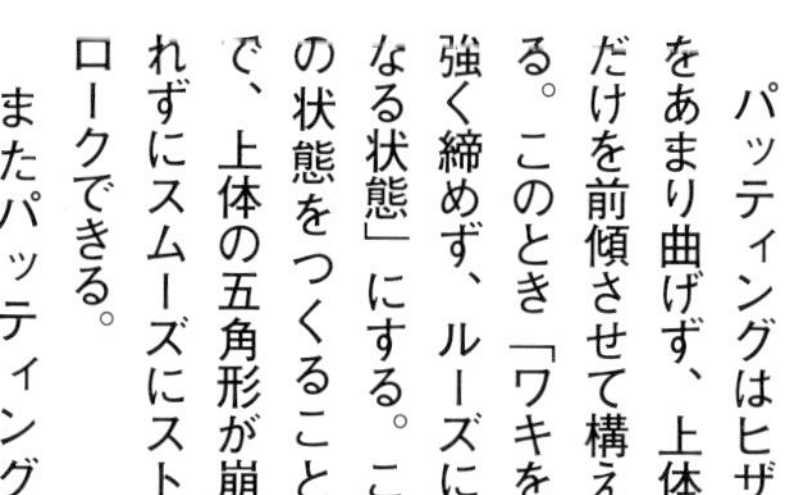

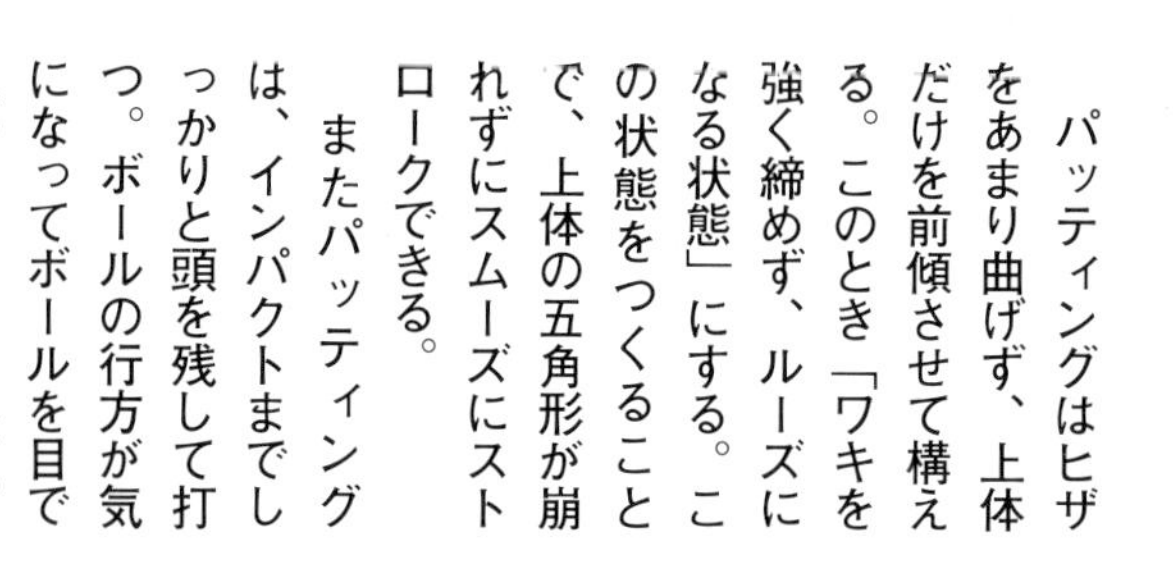

パッティングはヒザをあまり曲げず、上体だけを前傾させて構える。このとき「ワキを強く締めず、ルーズになる状態」にする。この状態をつくることで、上体の五角形が崩れずにスムーズにストロークできる。

またパッティングは、インパクトまでしっかりと頭を残して打つ。ボールの行方が気になってボールを目で追ってしまうと体がブレ、上体の五角形も崩れてしまう。

上体を大きく曲げる

ヒザの曲がりが少なく上体だけが大きく曲がることで、目がボールの真上にくる

左手の甲を目標方向に向ける

左手の甲はフェース面と同じ方向を向く。左手甲を目標方向に正確に押し出していけば、フェース面も正確に動く

ヒザを大きく曲げない

左手甲の動く方向=フェース面の動く方向

脇がきつく締まった構えになっている

脇が大きく開いてしまう

ショートパットはフェースの向きがすべて！

プロは１ｍ前後のパットを必ず入れますが、アマチュアははずす場合が多いようです。この分岐点になるのが「フェース面が目標に正しく向いているか、いないか」の違いです。

ボールはどんな振り方をしても、フェースの向いている方向へ転がります。ということは、フェースを正確に目標へ向けなければなりません。テークバックでヘッドがどこに上がっているかよりも、フェースがどこを向いているかをチェックしないと、ショートパットはいつまでたっても精度があがりません。

よくあるのが自分では目標に正しくフェースを向けている、と思い込んでいるケース。こうした場合の対処法としては、第三者にボールの後方からフェースが正確に目標方向に向いているか、をチェックしてもらうことをおすすめします。（Ｐ 168の練習法を参照）

ボールを目の真下に置き、フェースを目標に正確に向ける

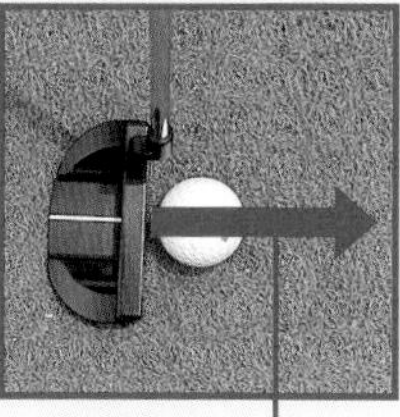
目標に対して正確にフェースを向ける

フェースの向きがショートパットの成否を決める

ストローク3

まっすぐ引き、まっすぐ出す！がストロークの基本

パッティングの基本は、ヘッドをまっすぐ引き、まっすぐ出していくこと
まっすぐ出す

パッティングのストロークは、ヘッドをまっすぐ引いて、フォロースルーでまっすぐ出していくのが基本。そのためには、まずボール位置が目の真下、さらには鎖骨の下にくるようにセットする。これでパターのライ角通りにストロークがしやすくなる。

その上で正確なヘッドコントロールのもとになるのは、

●上体の五角形を維持したままのストローク

●ターゲットラインに平行に動かす、

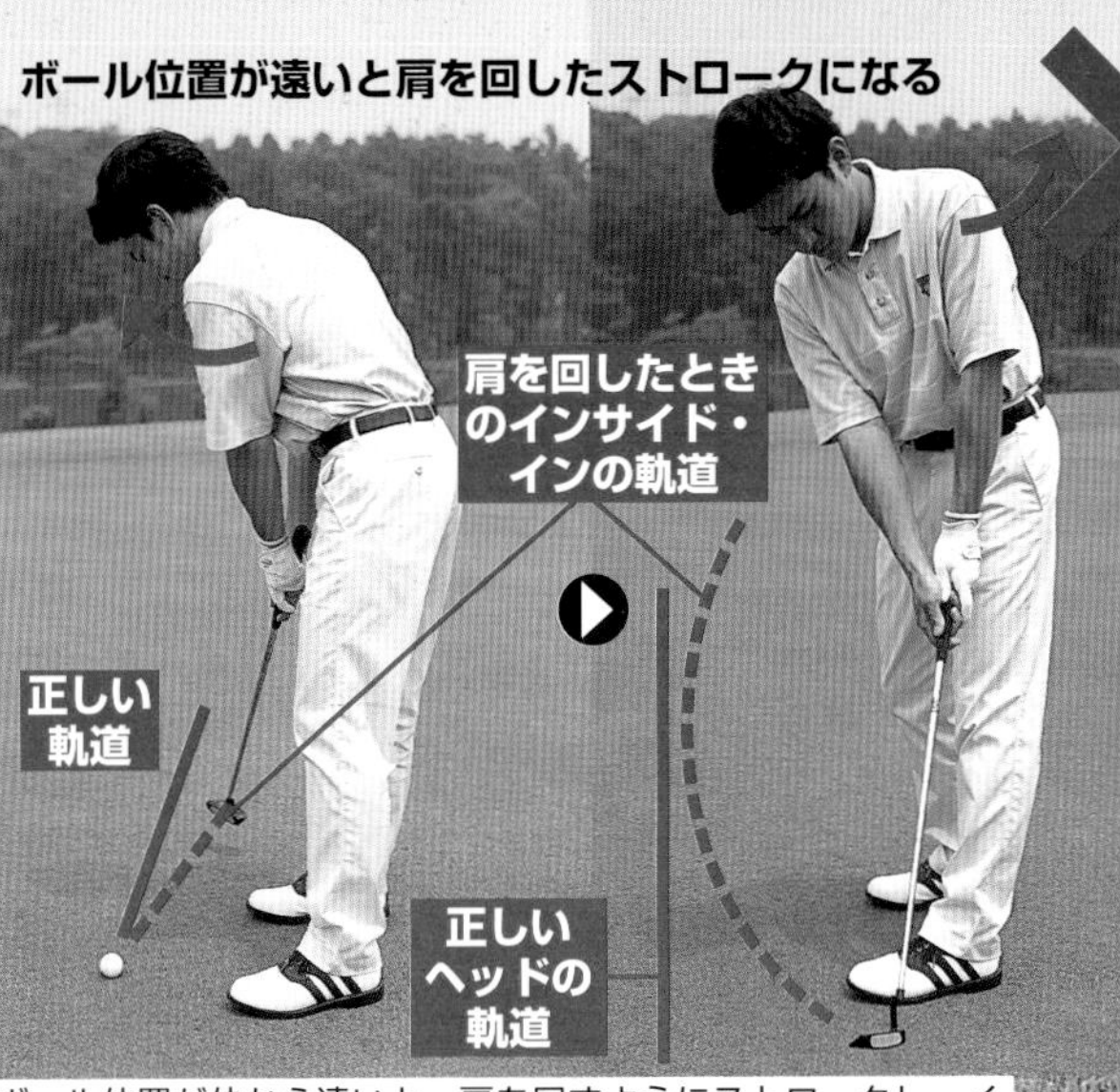

ボール位置が体から遠いと、肩を回すようにストロークし、インサイド・インのラウンドした軌道を描いてしまう

フェースを目標方向に対してスクエアにする方法

パターのフェース面が目標方向へ正しく向けられていないと、正確なパッティングはできません。フェース面の向きを確認するには、まずボールの真後ろからカップ（目標方向）を見てターゲットラインを設定します。そして設定したターゲットラインに対して、フェース面がスクエアになっているか、フェースの向きをチェックしてください。アドレスの位置や横から見るだけでなく、必ずボールの真後ろからターゲットラインを確認することをおすすめします。

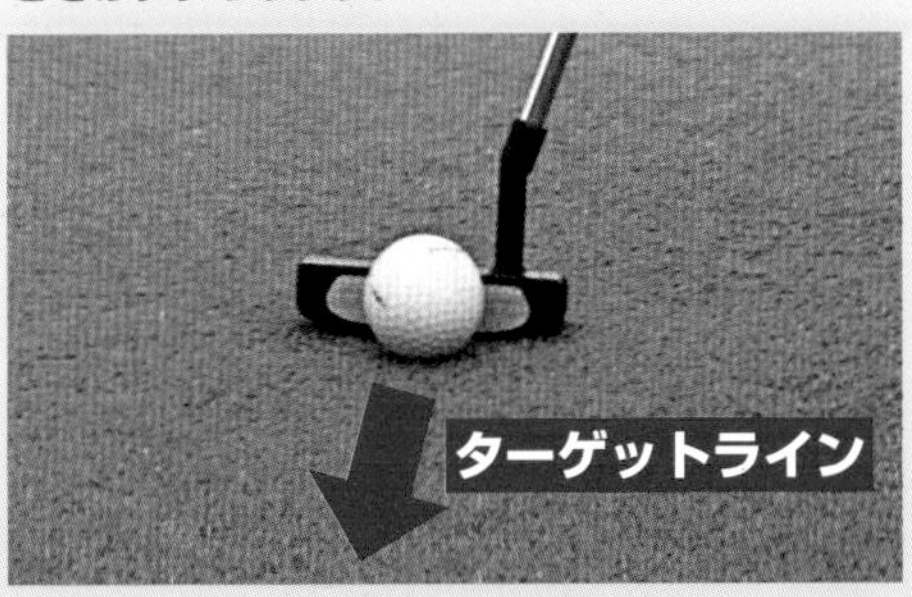

肩のラインの動き
●手首を使わないストローク
などの要素だ。

ボールを転がし、転がったボールのスピードをイメージする

パッティングの距離感をつかむには、カップを狙い、手でボールを転がしてみよう。

このときのボールの転がるスピードを、イメージとして覚えておく。

そして、パットのときにボールを、どの程度の強さで打ったらいいか、イメージをかさねあわせてパッティングに活かすのだ。

距離感をつかむ❶

ボールを転がし、ボールの転がるスピードをイメージする

ラウンド前には練習グリーンでボールを手で転がしてみて、そのグリーンでどのくらいの強さで打てば良いかを把握しておくと、うまくいく。

距離感をつかむ❷

ボールの後方からカップを見て素振りをする

実際のグリーンでは、ボールの後方からカップを見て素振りを繰り返し、どのくらいの強さで打てば良いかを体にインプットする。そして、そのインプットしたイメージが消える前に打つ

目標方向

カップを見ながら素振りし、振り幅を調整する

距離感をつかむ❸

距離感をつかんだら、正しくアドレスへ

アドレスまでの手順として、

①左右前後からラインを読んだ後、ボールの後方に立って素振りし、ストロークの振り幅をインプットする
②右手（利き手）でフェース面を合わせる
③左手を添えてグリップ、アドレスを完成させる

カップを見ながらアドレスに入ると、体が開いてしまい、ターゲットラインと平行に構えることができない

体が開いてしまう

ボールの後ろからカップを見て素振り

右手で慎重にフェース面を目標に合わせる

左手を添えてグリップを完成させ、アドレスに入る

図1：グリーンを読む手順

グリーンを読む

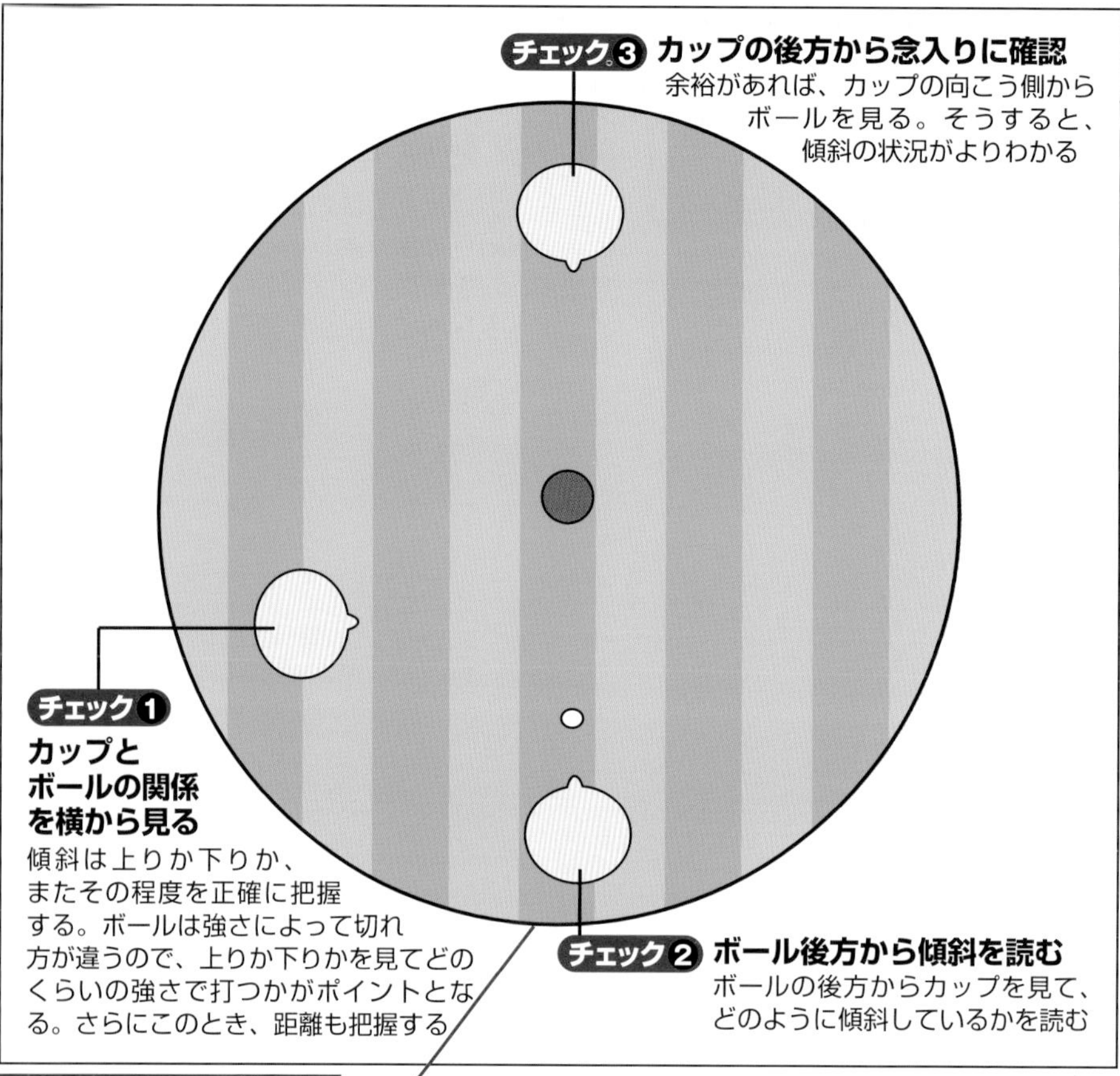

3ヶ所のアングルから グリーンの傾斜をつかむ

グリーンを読む手順は、①ボールとカップを結ぶラインを横から見て、"上（のぼ）っているのか下（くだ）っているのか"を正確に把握する。同時にカップまでの距離も横から見て把握する。②ボールの後方からラインを見て、どの方向に傾斜しているかを見る。③余裕があればカップの後方からボールを見て、傾斜の状態を把握する。

①〜③でつかんだ情報をしっかりと複合させ、目標点とストロークの大きさを決める。

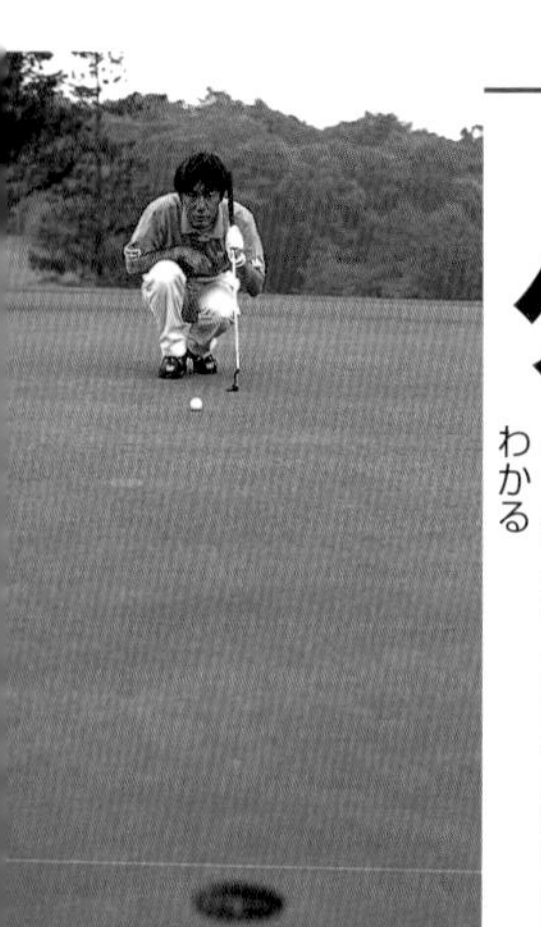

ボール後方からカップを見ると、打ち出す方向の傾斜状況がわかる

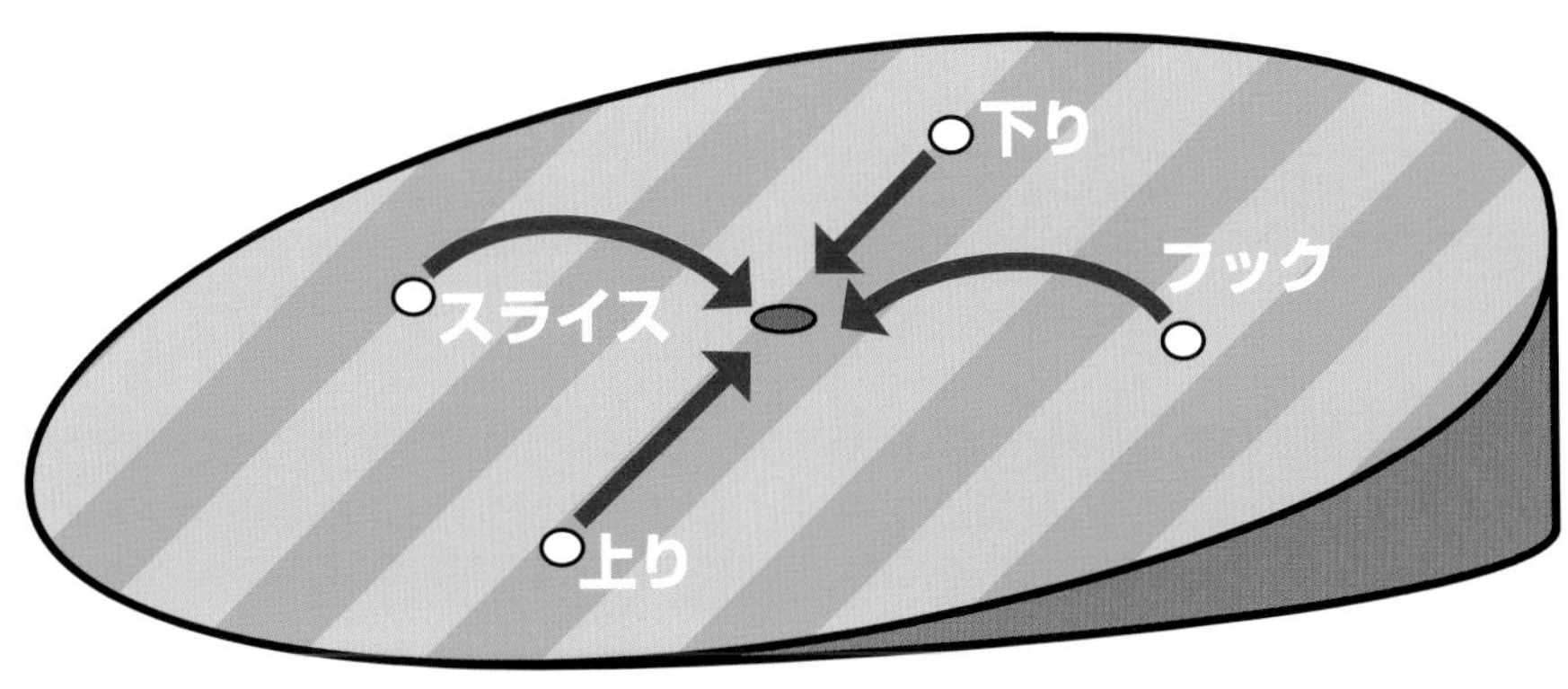

ボールの転がるスピードを把握し、ラインをきっちりとって、打ち出しの狙っていく方向にパットすることがパッティングの大前提

図2：傾斜によるラインの違い

返しのパットは上りを残す

パッティングのラインは、基本的にフック、スライス、上り、下りの4ライン。傾斜が右に傾いているか、左に傾いているか、上りなのか、下りなのかを正確に読んでパッティングをする。

カップを中心に考えると、下りのラインの反対側には上りのライン、フックラインの反対側にはスライスラインがある。

カップをオーバーするよう強めに打ったときには、フックラインの返しのパットはスライスライン、下りのラインの返しのパットは上りのラインになる。

このようにパット後のことを考えるのも大切で、上りのラインのほうが下りよりもはるかに簡単なため、返しのパットはできるだけ上りが残るようにする。

ショートパットがうまくなる練習法

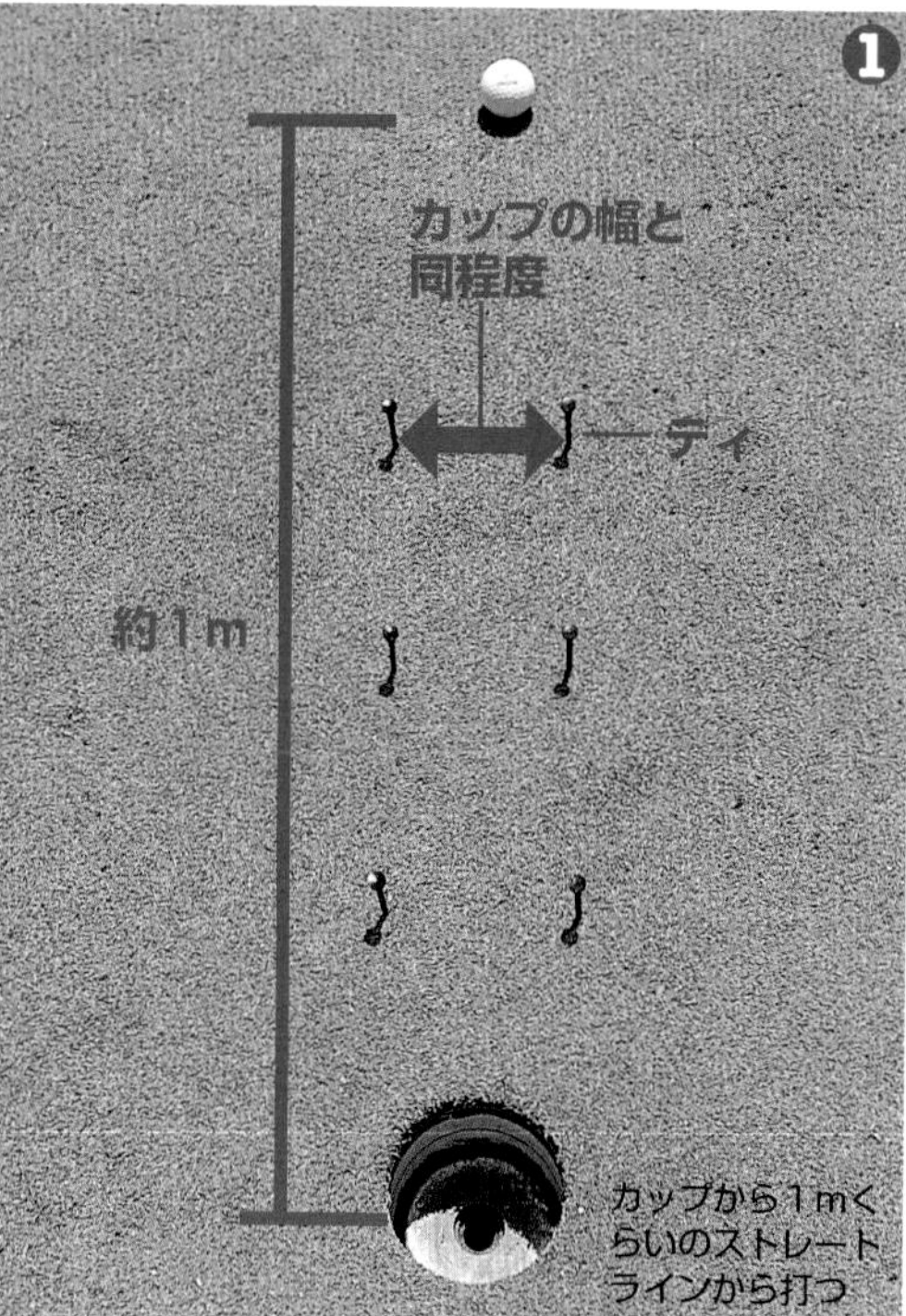

●使用クラブ　パター

●練習方法

この練習はカップからおよそ1mの距離で、ストレートラインで行う。

①ティを立ててボールが通るラインをつくる。ラインの幅は、カップの幅と同程度にする。

②ティにボールが当たらないように、そのラインを通してカップインさせる。

●効果

フェースの向きをカップに対してまっすぐ合わせて、そのままヘッドをまっすぐ引いて、まっすぐ出す。カットに打ってしまったり、プッシュアウトやひっかけてしまうことを矯正し、ショートパットがうまくなる。

ティに当たらないようパットしてカップインさせる

フェース面がカップに対してスクエアになっているか、第三者に後方でチェックしてもらうのもいい

朝イチのパッティンググリーンで行う練習法（ショート防止）

練習法 8

●使用クラブ　パター

●練習方法

①カップの斜め後方30cmほどのところにティを立て目標を設定する。そのティを狙って手でボールを転がし、グリーンの速さを体感する。
② 次に目標のティに届く強さでパットをする。
③最後にカップを狙ってパットする。

●効果

この練習法ではパットの距離感がしっかりとつかめる。30〜40cmオーバーするイメージで練習をしておくと、実戦ではショートしなくなり、パットが入りやすくなる。ジャストの距離で練習していると、実戦ではショートしやすくなってしまうのだ。また、手でボールを転がすことで、距離感とグリーンの速さも正確につかめる。

スタート前にパッティググリーンで、カップの斜め後方にティを立て、そのティに向かって利き手でボールを転がす

手でボールを転がした後は、ティに届く距離でパッティングする

最後はカップを狙ってパッティングする。スタート前にこの練習をすると、ショートするパッティングが減る

スイングの精度を上げるには、強い体が必要

Q 内藤さんは米ツアーにもよく行かれ、また米国留学もなさっているので、アメリカのゴルフ事情に関してもよくご存知だと思います。外国のプロを見て感じるものはありますか?

内藤 外国のプロを見ていると、身体能力の強さを感じますね。実は身体が強いということはプレーはもちろん、スイングの精度を上げるためにも重要な要素なのです。

Q スイングの精度に身体の強さが関係するのですか?

内藤 というのも、スイングの精度を上げるためには、インパクトの強さと振り負けない強さが必要になるのです。身体能力が乏しいとスイングプレーンの反復性が弱まり、インパクトでのあたりの強さも出にくくなるのです。

また、コースセッティングや気象条件が厳しくなればなるほど、身体能力の差が、スコアの差になる場合もあります。

Q 身体能力を高めるための方策は、あるのでしょうか?

内藤 やはりトレーニングですね。しかし、いくら頑張ってトレーニングをしたとしても、タイガー・ウッズの身体能力になれるかといいますと、人種も違うのでそれは無理です。ですから、それに少しでも近づくようにトレーニングをするのです。

Q 身体能力をカバーする方法はあるのでしょうか?

内藤 ひとつの方法は、アプローチなど、身体の強さをあまり必要としない技術を磨くということです。

また、難しいクラブを敢えて使わずに、やさしいクラブの精度を上げることもそのひとつです。

ドライバーは長尺、ロングアイアンは使わずに、7ウッドや9ウッドを使うという方法です。

これらのやさしいクラブを打ち込んで、精度を高めていけば、身体能力をカバーするプレーができるでしょう。

5章 スコアアップに直結！実戦ショットの超ハウツウ

ティショットから
セカンド、
パッティングまで、
状況別攻略法を
徹底解説！

ティショット完全攻略のポイント

1 ラウンド前に練習はしたほうがいいのか?

ラウンド前には、たとえ前日でも練習したほうがいい

ゴルフ・インストラクターを対象にしたアンケートで、「コンペの前、特に前日には練習をしたほうがいいのか?」という質問に、“したほうがいい派”と“しないほうがいい派”に意見は分かれた。

そして、「練習をしないほうがいい派」のほうが、わずかながら多かったのである。その理由は、「(本番で)力んでしまうから」というものだった。また、普段練習していない人が前日に練習すると筋肉が硬くなってしまい良くない、という説もあった。

しかし、たとえ直前の一夜漬けタイプの練習であっても、やることをおすすめする。

コンペやラウンドの前は、アマチュアの人が練習に集中できる最高のシチュエーションであり、また普段練習をしない人が練習をやろうという気になる最高のシチュエーションだからだ。

練習はラウンド前、つまりラウンド当日の朝にも必ずやって欲しい。当日にスイングをあれこれ直すのは無理だが、ひと汗かいてボールに当てる感触を確かめてラウンドにのぞむことが大切なのだ。

また、練習することで体が柔らかくなり、肩の関節や腰の筋肉をほぐしたり、血流を良くする効果もある。

そのほか、ケガ防止にも効果があり、メンタル面でも自信につながる。

2 ラウンド前にはどのような練習をすべきか?

テーマを決め、そのテーマを克服する練習をする

ラウンド前は特にテーマをしっかりと決めて、そのテーマが直るように練習すればいい。スライスで悩んでいたら、とにかくスライスを直す練習をするとか、アプローチが苦手な人はア

ラウンド前の朝の練習は、体をほぐすだけでなく、ショットの自信もつく。ぜひとも朝の練習は行いたい

グリーンの速さは各ゴルフ場で異なるので、必ずパッティンググリーンで練習し、グリーンの速さを頭に叩き込む

プローチの練習を徹底的にやるといった具合だ。

また、ラウンドするコースがホームコースや、以前ラウンドしてよく知っているコースであれば、予習する意味でコースをホール・バイ・ホールで思い浮かべて練習すると効果的だ。たとえば「スタートホールは打ち下ろしで右のOBラインが浅い」としたら、そのホールを思い浮かべ、スライスしない球を打つ練習をすればいい。ボールをただ打つだけの練習はすぐ飽きる、という人には特におすすめの練習法だ。

3 普段の練習はやったほうがいいのか？

集中的にやるよりも、長期のブランクをつくらない

普段の練習は機会があるなら、できるだけやったほうがいい。練習すればするほどゴルフは上達するが、練習には上達だけではない重要な要素がある。それは、「練習していれば下手にならない」ということだ。

ゴルフには、「シングルになるのは難しくないが、シングルを維持するのは難しい」という言葉がある。これは「努力すればシングルにはなれるが、シングルであることを維持することが、シングルになるよりも数倍難しい」という意味だ。

つまり、練習をしないブランクが長くなればなるほど、元の状態に戻すのに時間がかかってしまうスポーツなのである。

この事実は、プロの世界でも当てはまるようだ。メジャーリーグやNBAでは、シーズン終了後4～5ヶ月は全くボールやバットに触らないという選手も多いと聞く。

しかしゴルフの場合は、プロといえども4～5ヶ月もの長期間ボールを打たないと、元の状態に戻すだけで数ヶ月が必要となる。多くの一流選手でさえ、ボールを打たない時期はほとんどない。

ただし、1年に2～3回程度、2～3週間の休みをとり、この間はまったくクラブを握らずにリフレッシュしているようだ。しかし、これ以上クラブに触れないでいると、一流プロといえども、スイングがおかしくなってくる。

つまりは、長いブランクをつくらず、休むなら短い期間を何回かに分けて休まないと、調子を崩してしまうということだ。アマチュアの場合もこれは同じで、あまり長い間クラブを握らずにいると、上達した技術がレベルダウンしてしまうことになるのだ。

フェードボール（スライス系）の人はティグラウンドの左寄りから、ドローボール（フック系）の人は右寄りから打てば、球筋の特徴を生かしながら、フェアウェイがキープできる

スライス
フェード系
ボール

フック
ドロー系ボール

フェード

ドロー

自分の持ち球を決め、その持ち球が出るスイング軌道を完成させ、持ち球で攻めていく

4 持ち球を決める

持ち球を決め、持ち球で攻めればゴルフがシンプルになる

自分の持ち球を決め、その持ち球で攻めるのがゴルフの基本であり、ゴルフを簡単にするポイントである。

球筋というのは、右に曲がるスライス系と左に曲がるフック系に大別できる。この2種類の球筋を自在に使い、ホールの状況によりスライス系とフック系を打ち分けるという方法が理想的なような気がするが、この攻め方はおすすめできない。

なぜなら、スライス系とフック系を打ち分けるということは、そのたびにアウトサイド・インとインサイド・アウトのスイング軌道に変えなければならず、スイングが複雑になってしまう。それよりも、アウトサイド・インならアウトサイド・インとひとつに軌道を固めてしまい、持ち球をつくったほうがゴルフは簡単になる。きついドッグレッグなど、どうしても逆球（スライス系が持ち球の人がフック系を打つこと。または、その逆をいう）が必要なときのみ、意図的に逆球を打って攻めていけばいい。

5 決められた手順で打つ「ルーティン」を確立する

ルーティンを守って打てば、ミスショットしなくなる

ルーティンとは「同じ手順が繰り返される」という意味である。ゴルフ用語では、スイング時に毎回同じ動作を行うことをさす。ドライバーショットにしろ、アイアンショットにしろ、パッティングにしろ、構えに入るときから打つまでに、ある程度のルーティンを決めておいたほうがいい。ルーティンどおりに打つことで、ふたつの効果がある。

●ミスがなくなる

手順どおりに構えることで、思わぬミスがなくなるのだ。駅員さんの「指差し確認」と同じ効果で、「きちんと目標方向に向いているか」、「ちゃんとプレーン通りに振れるか」などのチェックができるのである。

●リラックスできる

ルーティンどおりに打つということは、打つまでにそれなりの時間をかけるということであり、この時間をかけることで心が落ち着き、リラックスできるのである。しかし、アマチュアの人がルーティンをきちんと守ろうとすると、どうしても必要以上に時間がかかり過ぎることがある。遅延プレーにならないよう注意しよう。

ティショットのルーティン

1 まずティグラウンドの後ろに立って方向性を大まかに確認する

2 ティアップする

3 再びボールの後方に立ち、ボールと目標とを結ぶターゲットラインを想定する

4・5 そのターゲットラインに対して軽く素振りをして体をほぐしながら、球筋をイメージする

ターゲットラインに対して正確に構える。毎回この手順（ルーティン）で打てばミスが減る

6 ボールの後方から必ず打つ方向を見る

ボールの後ろから、ターゲットラインをイメージする

ボールの後ろから飛球方向を見るアクションは、必ず行ったほうがいい。これにより間違った方向にアドレスするミスを防げるからだ。

なぜかというと、ティグラウンドは、必ずフェアウェイ方向を向いているわけではない。バンカー方向を向いていたり、ひどいときにはOB方向を向いている場合もある。しかし、アベレージゴルファーの場合、この事実を知らない人が意外に多い。

ティグラウンドが向いている方向や、左右のティマークのラインを参考にアドレスしてしまうのである。これではOBラインのある方向にアドレスしてしまう可能性もあり、いくらナイスショットしても、ボールはOB方向に行ってしまうのである。

ボールの後方から飛球方向を見て仮想のターゲットラインを引き、ターゲットラインに対してアドレスすればそんな間違いは起こらない。

ドライバーショットもアイアンショットも、必ずボールの後方に立って目標方向を確認する。特にティショットではこれが大切だ

7 朝イチのボールはこうして打て！

ルーティンを守り、ライナー気味のボールを打つ！

朝一のティショット（その日のラウンドでの最初のショット）というのは、特に緊張するショットだ。読者の中にも、朝一のティショットで手痛い目にあった経験をお持ちの方も多いことだろう。朝一のティショットで失敗しないためのポイント

は以下の3つだ。

●コースの練習場で練習してからラウンドする

練習をすれば体が柔らかくなり自信もつく。練習場のないコースではストレッチで体を十分に柔らかくしておけば、朝一のティショットの成功確率はグーンと高くなる。

●ルーティンどおりに行動する

ティグラウンドに立ったら、ルーティンに従う。朝一のティグラウンドは後続組がたまりやすく、ついつい周囲の目が気になって緊張する。そんなときこそ、ルーティンを行えば平常心が保たれ、周囲の目もそれほど気にならなくなるのだ。

そして、ルーティンを行うためには余裕を持ってティグラウンドに行くこと。時間ぎりぎりでティグラウンドに行き、キャディさんにせかされるようだと、あせってルーティンを正確に行なえない。

●ライナー気味のボールを打つ

ライナー気味の弾道は曲がりが少ないため、大ケガをしない。ティをほんの少しだけ低くして、絶対にダフらないという意識で打てばボールはライナー気味になる。また、大きく振っていくと失敗するケースがあるので、大振りしないことも大切だ。

朝一のティショットは、ライナー気味のボールを打つと大ケガしない

ストレッチはケガ防止という効果が大きい

8 風の日の打ち方

アゲンスト

ドローで攻めるのが大正解。最悪でもフックで攻める

アゲンスト（向かい風）の状況では飛距離がダウンしてキャリーが出ない分、ランを出すのがベストな打ち方だ。ランを出すためにはドローが理想的だが、最悪でもフックを打ちたい。風の影響をもろに受けるスライスだけは絶対に避けたいところだ。

さらに、ボールの上げ過ぎにも注意したい。強烈なアゲンストのときにはハンドファーストにし、ロフトを立ててライナー気味に打っていくといい。

フォロー

右足体重で構え、ボールを高く上げていく

フォロー（追い風）の場合はスライスで攻めても、うまく風にのって飛距離が伸びるのでOK。大切なのはボールを上げること。右足体重に構え、ボールが上がりやすいアドレスでショットする。

左からの横風は、ティグラウンドの右側にアドレスする

右からの横風は、ティグラウンドの左側にアドレスする

ティグラウンドで風の状況を読むのも大切

サイドウインド

フェアウェイをクロスに攻め、風にボールをぶつけていく

サイドウインド（横風）は、風にボールをぶつけていく。つまり風とケンカする打ち方をする。風とケンカせずにうまく風にのせようとすると、フェアウェイキープは難しい。

左からのサイドウィンドの場合、ティグラウンドの右側にアドレスして風にボールをぶつけていく。逆に右からのサイドウィンドの場合は、ティグラウンドの左側にアドレスして風にボールをぶつけていく。

風を読む

コースの全体図に風の方向を書き込む。雲の流れを見ても良い

風は打つ地点と上空の風の向きが違うことがある。風を正確に判断するには、コースの全体図を手に入れ、そこにその日の風の方向を示す矢印を引く。上空の風は常に一定方向に吹いているので、矢印の方向を参考にして風を読んでいくのである。

コースの全体図に風の方向を矢印で入れ込み、それをもとに風を読む

ピンフラッグだけで風を判断するのは危険

9 雨の日のプレースタイル

キャリーが出るよう高くボールを上げる

雨の日は距離が出ない。この点に特に注意しなければならない。ティショットは地面が柔らかいため、地面にボールが突き刺さることもある。ランもほとんど期待できないため、キャリーを出す打ち方をするのが賢明だ。キャリーを出すには弾道を上げ、できるだけ高い球で攻めていく。

セカンドショット以降は、通常よりも1番手大きなクラブを選択してキャリーを出すようにする。また、芝が濡れているためダフると手痛いミスになってしまうので、ハーフトップ気味に打っていきたい。

雨の日のグリーンはボールが止まるので、突っ込んで攻めるようにする。手前からランで転がす攻め方は、ボールが止まってしまいグリーンオンが難しくなる。

パッティングはグリーンが遅くなるぶん、ガツンと強めに打てるため相対的に簡単になる。

キャリーが出るよう高い球で攻めていく

グリーンは濡れて遅くなるので強めに打つ

10 打ち下ろし、打ち上げホールの攻め方

打ち下ろしのホール

力まず自然にプレーする！

攻め方としては、打ち上げに比べれば打ち下ろしのほうが簡単。なぜならボールを上げる必要がなく、力まず打てるからだ。余分な力が入らないと、いいショットが出やすくなる。さらに、落下後のランも平坦なホールより出やすいため、アマチュアには飛距離が出しやすいホールになることが多い。

力まず打てばナイスショットが出やすい

打ち上げのホール

高い球で攻めていく！

打ち上げのホールは、ボールを上げなければならない。しかし、ボールを無理に上げようとすると、どうしてもすくい上げたスイングになり、ダフリなど大きなミスを誘発してしまうことが多いので注意する。

ボールが上がりにくい人は、ドライバーではなくスプーンやバフィなど、ボールが上がりやすいクラブを使うのも選択肢のひとつだ。

打ち上げのホールは、高い球で攻める。多少の打ち上げであれば問題ないが、極端な打ち上げはランが出ないので難しい

11 OBラインがあるホールの攻め方

OBラインを過度に意識せずに、ライナー気味のボールで対処する

OBラインを過度に意識してしまうと、ミスショットになるケースがある。図1のように右サイドのOBラインがとても浅いホールがあるとする。このOBラインを意識し過ぎると、OBラインを避けようとして左方向を向いたアドレスをしてしまう。

しかし、左方向を向くということは、ターゲットラインに対

図1

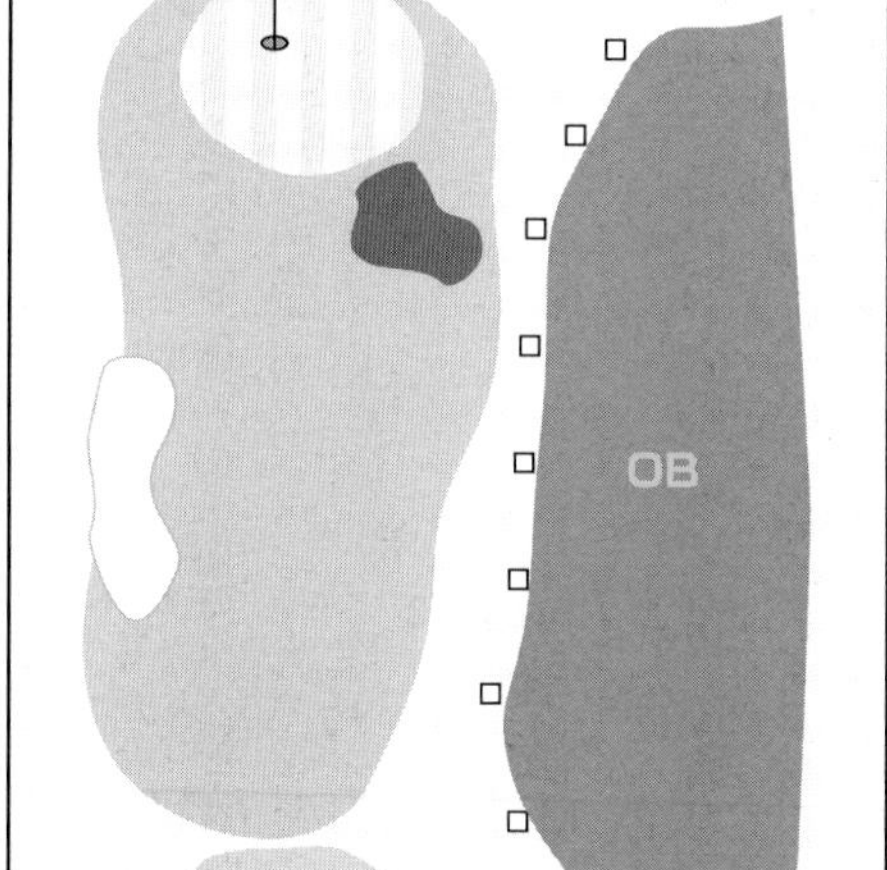

右のOBラインが浅いケース。右サイドを恐がり左に打とうと意識して、ターゲットラインにズレが起きないようにする

図2

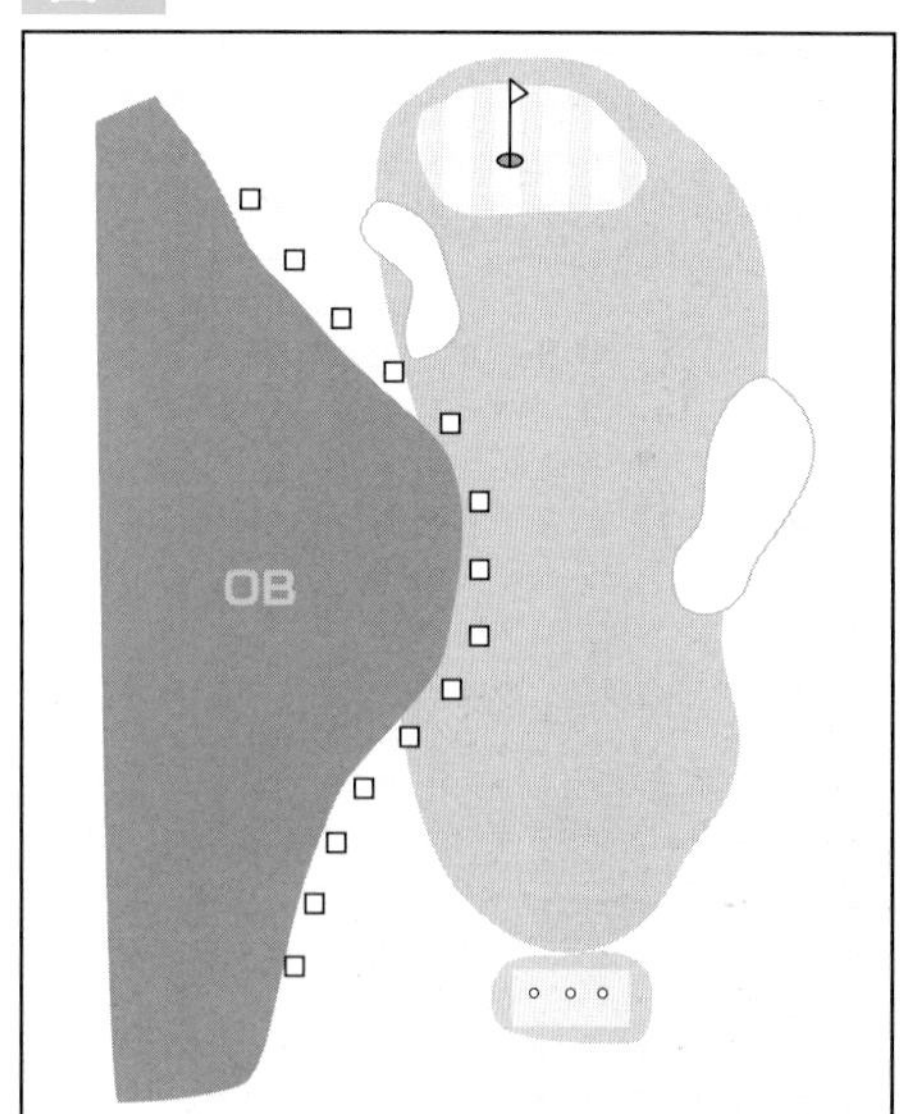

OBラインがコースに入り込んでいる場合もある。ターゲットラインをはずして左方向へアドレスすると、バンカーに向けてアドレスしかねない

しても左を向くということで、これはオープンスタンスで構えるのと同じことになってしまう。オープンスタンスで構えるとアウトサイド・インのスイング軌道を描きやすくなり、スライス（ミスショット）の原因となってしまう。さらに、ターゲットラインから大きくはずれたアドレスは、バンカー方向を向いてしまうなど、さまざまなミスの原因にもなる。

こうしたホールの攻め方は、OBラインを過度に意識せず、打ち方としてはボールをライナー気味に打っていく。ライナー気味のボールは曲がりが少ない球のため、OBを避ける効果があるのだ。

また、OBラインはティグラウンドからは見えないケースも多いので、キャディからOBラインの有無を事前に必ずチェックしておきたい。

12 ドッグレッグ・ホール、池のあるホールの攻め方

ドッグレッグ・ホール

曲がる頂点を狙って、コースなりの球筋で攻める

通常は持ち球で攻めていくが、大きくドッグレッグしたホールはコースなりの球筋で攻める。つまり、右ドッグレッグのホールはスライス系で、左ドッグレッグのホールはフック系で攻めるのだ。

攻め方は、曲がりの頂点を狙って打っていく。これがいちばんセーフティな打ち方。ティグラウンドをクロスに使い頂点を狙って打っていく。

このとき注意しなければならないのが飛び過ぎ。曲がりの頂点を突き抜けてしまうことがあるので、自分の飛距離と曲がりの頂点までの距離をしっかりと計算して打つようにする。

フェアウェイの曲がる頂点を狙っていくと、フェアウェイを最大限に広く使うことができる

池のあるホール

ライナー性のボールを避け、確実に上げて池を越える

池はセーフティにクリアできるよう、高いボールで攻めていく。低い球を打つと、ライナー性になってしまったときに池ポチャの危険性があるからだ。

ボールを上げるときの注意点は、上げようとしてあおらないこと。あおると体が上下動しやすいので、ダフリ・トップの危険性が出てくる。

しっかりハイフィニッシュ（高い位置でフィニッシュ）することが、高い弾道の球を打つときには大切だ。

ショートホールでの池越えは、球を高く上げるため、ハイフィニッシュを心がける

セカンドショットからの完全攻略のポイント

フェアウェイやラフ、ベアグラウンド、ボールがどんなライにあるかでショットの難易度が変わる

1 ライの状況を読む

ライを見極め、より確実なショットを選択する

ドライバーショットがティアップして打てるのに対して、アイアンショットは芝の上から直接打たなければならない。そのため、ボールのライがどのような状態かで難易度が変わってくる。

難易度が低いのがフェアウェイにあるとき。一方難易度の高いのが、ラフでボールがズッポリと沈んでいる場合だ。ライが悪くロングアイアンやミドルアイアンでの脱出が難しいというときは、ショートアイアンで確実にフェアウェイに脱出するのが賢明。ライが悪いのに無理をして、大ケガをしないことをまず考えたい。

2 特徴のあるグリーンを狙う

砲台グリーンを攻める

ピンを狙わず、グリーンのセンターを狙う

砲台グリーン、すなわち砲台のように小山状になっているグリーンはプロでも難しく感じるグリーンだ。なぜ難しいかというと、グリーン面が見えないからだ。

グリーン面が見えていないと距離感が合わせづらく、プロといえどもなかなかベタピンにつかないのだ。

攻め方としては、ヤーデージをしっかりと把握して、どこに振り出すかをしっかりと決めてショットする。

そして、ピンをデッドに狙わずにグリーンのセンター狙いで確実に攻めていく。

グリーン面が見えず攻めづらいグリーンは、ヤーデージを把握し、振り出す位置を決めて打つ

2段グリーンを攻める

グリーンオーバーだけは絶対に避ける

2段グリーンはピンが下の段（手前の段）に切ってあるのか、それとも上の段（奥の段）に切ってあるのかで攻め方が異なる。ピンが下の段に切ってあるときは、手前から転がして攻める。下の段は攻め方としては比較的簡単だ。

ピンが上の段に切ってあるときは、グリーンオーバーすると、ピンが上に切ってあっても下に切ってあっても、下りが残るのできつくなる。グリーンオーバーだけは絶対に避けるようにし、最悪、下の段にのせればOKという気持ちで攻めていく。

3 ハザードの側にピンがきってあるときの攻め方

ピンをデッドに狙わず、グリーンのセンター狙いで攻める

球筋がドローの人はピンがグリーンの左にきってある場合は、たとえグリーンの左が池でもそれほど苦にならないはず。球筋からいって、ピンのセンターを狙って打てばピンに寄っていくからだ。

しかし逆に、ピンが右にきってあり、池が右サイドにあると、ドローの人はかなり攻め方が難しい。なぜならば、池の上からボールを曲げていかなければならないからだ。球筋がフェードの人も、同じような状況に遭遇することがあるだろう。

このような場合はピンをデッドに狙わず、「グリーンのセンターにのればいい」と意識を切りかえる。無理をして持ち球がドローの人が、フェードをかけてのせよう、などと思うと大ケガのもとになる。ハザードなどでプレッシャーがかかるショットは、あくまでも自分の持ち球で、よりセーフティに攻めていくことをすすめる。

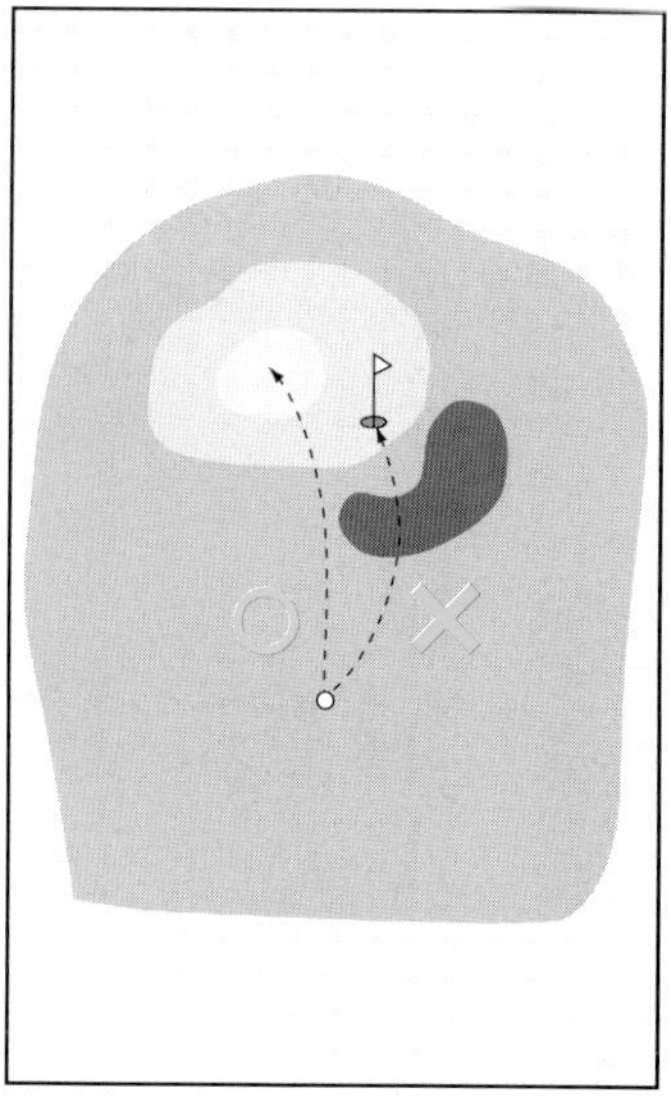

池の近くの右サイドにピンがきってある場合は、ドロー系の球筋の人には池越えでピンに寄せることになる。このようなケースではリスクをおかしてピンを狙わず、グリーンのセンターに落とすつもりで打つ

4 フェアウェイバンカーの打ち方

クラブを短く持ち、レベルスイング！

フェアウェイバンカー（フェアウェイの両サイドにあるバンカー。クロスバンカーともいう）から安全に脱出するには、

- **クラブを短く持ち、ボールの近くに立つ**
- **右足体重で構え、レベルにスイングする**
- **ややトップめに、ボールの下を打つ**

以上の3点が基本になる。特に注意したいのは、クラブを砂にザックリさせないために、ややトップめに打つこと。ただし、ボールのセンターより上を打つとボールが上がらないので、センターよりも下を打って、浮力をつけてボールを上げるようにする。

また、フェアウェイバンカーでは、クラブ選択を1番手上げる。砂の抵抗を受け距離が落ちるからだ。

ライが悪いときは、とにかく脱出することを最優先にする。特にボールがアゴの近くにあるときは、確実にアゴをクリアできる番手を選びたい。

※通常、右側にあるフェアウェイバンカー（以下FB）のほうが、左側にあるFBよりも手前にある。なぜかというと、右側にあるFBはスライスして入る確率が高いので、距離の出ないスライスボールで入りやすいよう手前にある。一方、フックボールで入る左側のFBは、距離が出るため右側よりも奥に位置するケースが多いのである。

フェアウェイバンカーは、砂の抵抗があるため１番手大きめのクラブを選択する

5 ラフからのショット

深いラフと普通のラフでは打ち方が異なる

ひとくちにラフといっても、深いラフと普通のラフとでは打ち方が異なるので、ラフの状況とボールの状況をきちんと把握してから打たなければ失敗する。

普通のラフは、特別に意識しなくてもいい。それなりの芝の抵抗があるが、抵抗に負けないようグリップをしっかりと握ることを注意しよう。

深いラフでボールが浮いているときは、ヘッドがボールの下をくぐらないことだけを注意して打てばいい。ティアップしているボールを打つ意識でショットすれば問題ない。

しかし、深いラフにボールが沈んでいる場合は、上から打ち込んでいくしかない。サンドウエッジやアプローチウエッジといった、ボールが浮くクラブを選択してラフからの脱出を第一に考える。

この場合インパクトでラフの抵抗をもろに受けるので、しっかりグリップしてインパクトでヘッドが負けないようにする。

※ラフは、順目と逆目でも難易度が異なる。簡単なのは順目。一方逆目は芝の抵抗をもろに受けるので注意が必要。

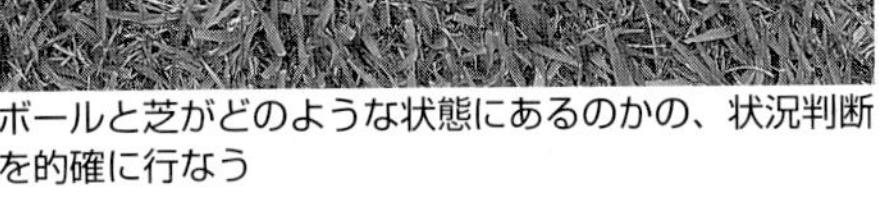

ボールと芝がどのような状態にあるのかの、状況判断を的確に行なう

6 林の中からのショット

林の中に打ち込んだときは、まず脱出第一で対応し、確実にフェアウェイに出していけるルートを探す。

脱出第一！確実にフェアウェイに出していく

①木の間を通す、ベアグラウンドからのショット

打ち方は、ボールを上げられないので、低くストレートに出していく。林の中はライも悪く、特に日が当たらないので芝はなくベアグラウンドのケースが多い。このようなケースでは、

- ボールを右足側にセット
- ハンドファーストに構え、確実に当てるアドレスをつくる
- ボールの側面を上から下へと打ち込んでいく

このときヘッドは低く引いて低く出すのではなく、少し高く引いて低く出していけば、ヘッドが上から下へと打ち込まれる。また、軸ブレするとダフリ・トップの原因になるので、スタンスを狭くし、スイングも大振りは避ける。

②木を高い球で越すショット

林によっては脱出ルートが上にあるというケースもある。ボールと手前の木までの距離があり、しかもその手前の木がさほど高くなく上の空間が開いているときにはこの方法が使える。

サンドウエッジやアプローチウエッジなど、ボールが上がるクラブを選択する。あくまで木を越えてフェアウェイに出ればいい、と考えてショットする。

林の中から確実にフェアウェイに出せるルートで脱出する。無理をしてグリーンを狙わない

林の中、ベアグラウンドからのショット法

1 ボールを右足の外側にセットし、ロフトを立ててハンドファーストに構える

2 ボールの側面を上から下へ打ち込んでいく。ヘッドをちょっとだけ高く引き、低く出していくといい

3 フォローは大きく取らない。打って終わり、という感じでなりゆきで出していく

グリーンまわり&パッティング完全攻略のポイント

1 グリーンまわりから寄せる

傾斜からのアプローチ

クラブを短く持ち、ボールの近くに立つ

傾斜からのアプローチは足場が悪いので、以下のような点をチェックしながら安定した構えをとる。

●クラブを短く持つ
●できるだけボールの近くに立って、重心を低くして構える
●フェースの先(トゥ側)でヒットし、ボールの勢いを殺す

また、傾斜でライが悪い状況では、ボールをいつもより右足寄りセットする。こうすれば、より確実にボールをヒットできるからだ。傾斜がきつくなるほど、ボール位置を右足寄りに移動させる。

クラブを短く持ち、ボールの近くで重心を低く構える

砲台グリーンでのアプローチ

重心が右に傾かないように！

砲台グリーンでの寄せは、ショートするとボールが戻ってくるのでダフらないように注意する。

●ボール位置はスタンスの中央
●重心が右に傾かないように注意して、グリーンに打つ

ピンが見えないため、打つ前にグリーンの状況をしっかりと把握しておくことが必要だ。

ピンの位置やハザードなど、グリーンの状況をつかんでからショットする

2 砂質別バンカーショット

柔らかい砂はバンスを効かせ、硬い砂はバンスを効かせない

①柔らかいフカフカの砂質

よほど硬い砂以外は、通常のエクスプロージョンショットで打てば問題ない。しかし、新設のコースに多い砂がフカフカの柔らかい状態で、しかもたくさん入っているバンカーは注意が必要だ。このようなバンカーでは、特にバンスをしっかりと使い、ヘッドが砂に入る位置に注意して打つ。砂に入る位置が手前過ぎると、ヘッドがもぐって砂の爆発力がボールに伝わりづらくなるからだ。

②硬いカチカチの砂質

一方、硬い砂のバンカーは、通常のエクスプロージョンショットではうまくいかない。打ち方はスピンをかけるときの要領で、砂を薄くとっていく。また、硬いバンカーはバンスを効かせ過ぎないほうが、ヘッドが跳ねないのでうまくいく。そこで、よりバンスの小さなアプローチウエッジを使うという選択肢もある。つまり、砂が柔らかいバンカーはバンスのあるサンドウエッジを、砂の硬いバンカーはバンスの少ないアプローチウエッジを使えば、同じ打ち方で両方の状況に対応できる。

砂質でバンカーショットも変わってくる

3 バンカーのアゴにボールが止まった

フェースを開き、リーディングエッジからヘッドを打ち込む

バンカーのアゴからボールをうまく出すには、以下のような手順でショットする。

- ●フェースを開き、右足体重で構える
- ●スイング軸がブレないよう右足を軸にして、上半身主体に体を回す
- ●ヘッドを鋭角的に下ろし、リーディングエッジからボールの根元を打つ
- ●ドスンと打って終わり！のイメージでボールの手前でヘッドを止めるイメージで打つ
- ●フォローはとらない

無理にフォローをとろうとすると、トップしてしまう。また、フォローをとると手首を痛める場合もあるので注意しよう。

ボールの根元にヘッドを叩き込もうとして、ボールを覗き込んだアドレスを取ると、うまく打てない

両ヒザのラインは傾斜と平行に。上体は重力と垂直に構えてスイング

4 ショートパット、ロングパット攻略法

1m前後のショートパット

フェース面をカップに正しく合わせる

ショートパットは、フェース面をいかに正確にカップに合わせられるかがポイント。正確なストロークをしても、フェース面がカップに向いていなければカップインしない。

フェース面がカップに向いているか、練習でもチェックしたい

ロングパット

オーバーして、なおかつ30㎝以内で止める

ロングパットは、カップを通り過ぎて30㎝以内に止める気持ちで打つ。これは、カップの周り30㎝内に寄せるということではなくて、必ずカップまで届かせるつもりで打つということ。

ショートするような弱い転がりだと、ボールマークやスパイクマークの影響を受けてラインをはずしやすい。こうしたものに負けない強さでカップに届かせることが大切だ。

超ロングパット

手打ちをしないで、肩のストロークだけで打つ

最近できたコースはグリーンがとても大きく、しかもワングリーンのコースが多い。そうなると、グリーンのすみにのってカップまで30ｍというパットもありえる。このような超ロングパットは、かなり強くヒットさせなければならないため手打ちになりやすい。しかし、手打ちになると、パットでもダフりのミスがでてくる。

手打ちをしないためには、肩のストロークに対して手を大きく動かさないようにする。つまり、肩の回転だけでストロークし、振り幅を大きくして対応するのである。

肩の上下回転でストロークし手は大きく動かさない！

5 エッジの段差に止まったボール

ソールを浮かし、ボールのやや上を打つ

グリーンエッジの段差の部分にボールが止まったときは、ボールのサイドの芝が盛り上がっているためダフりやすい。このようなケースでは、ソールを軽く浮かして、ボールのセンターよりやや上をクリーンに打つようにする。

さらに、夏など芝の勢いがいいときはこの段差が1㎝以上になる場合もある。そんなときは、サンドウエッジのリーディングエッジを使って、ボールの芝より上の部分をコツンと打つようにすると、ダフらずに打てる。

パッティング・スタイルも進化を続けている

Q. パッティングの形、技術は進化しているのですか。

内藤 パッティングの形も今と昔とでは、かなり変わりましたね。昔は個性的な打ち方が多かったといえます。昔のプレーヤーは、ロフトのあるパターをハンドダウンに構えることでロフトを立たせて使っていました。そして上からかぶせながら、ドンと打ちます。この打ち方は重いグリーンには最高の打ち方なのです。だから昔の人はほとんどがトゥを浮かせて、スイートスポットとボールの芯を食わせていました。

しかし、今はグリーンが速くなっていますから、ストローク主体で静かに打つほうがいいのです。それとともにパッティングの形も変わってきました。

Q. どのように変わったのですか。

内藤 より正確にアドレスの再現をするスタイルにです。そのためには、より機械的な動きをしなければならず、結果として個性的な打ち方のプロはいなくなりました。個性的な打ち方では、アドレスの再現は難しいからです。

例えばタイガーウッズのパットスタイルは、完全なるアドレスの再現です。構えたところに正確に手が戻ってきて、インパクトでもゆるめることなくパチンと打つ。

マスターズのような傾斜がきつくて速いグリーンには、タイガーのスタイルが最適なのです。傾斜のきついグリーンで、インパクトがゆるんでしまうと最悪の結果を生みますから。

なぜタイガーが高速グリーンでパチンと打てるかというと、ロフトがほとんど無いパターを使うからです。0度ではありませんが4度くらいです。だからあの高速グリーンでパチンと打っても、スーっと静かに転がり球足も伸びるのです。また、シャフトもしならないシャフトを使っています。以前は、パターシャフトもかなりしなるものでした。

このようにクラブの進化に伴って、打ち方も変わってきています。

6章

90が切れる！
これがゴルフの新常識

レベルアップ、
スコアアップにつながる、
意外に知らない
ゴルフの常識を徹底紹介！

スコアに結びつく！ 上手にラウンドするためのコツ

スコアを上げるにはスイングのスキルアップはもちろん、うまくラウンドするコツのようなものが必要になる。クラブの選び方からボールのローテーション、季節による攻め方の違いなど、ちょっと知っておきたいラウンド術を紹介する。

ラウンドのコツ 1

自分の飛距離を知って、14本のクラブ選択を見直す！

プレー中に使えるクラブは14本以内とルールで決まっている。多くの人が何気なくバッグに入れているクラブだが、じつはこの14本をどんな番手で構成するかが、スコアメイクの重要なポイントになるのだ。

ドライバーとパター、バンカーショットのためにサンドウエッジは最低限はずせない。アイアンは、通常3番～ピッチングまで（3、4、5、6、7、8、9、PW）の8本を入れ、これで合計11本になる。そして、残り3本に何を選んだらいいかを決めるには、自分の飛距離を正確に把握しなければならない。特に重要なのがドライバーショット、3番アイアン、ピッチングウエッジ、サンドウエッジの4本のクラブの飛距離だ。

①ピッチングウエッジとサンドウエッジの正確な飛距離を知る

この2本のクラブに大きな飛距離の差がある場合（ピッチングウエッジの飛距離が120ヤードであるのに対して、サンドウエッジの飛距離が70ヤードといったケース）は、その差を埋める役割のアプローチウエッジを、残り3本の中の1本に選択したほうがいいことになる。

②ドライバーと3番アイアンの正確な飛距離を知る

ドライバーと3番アイアンの飛距離の差を埋めるクラブを選ぶ。例えば、ドライバーの飛距離が240ヤード、3番アイアンの飛距離が190ヤードとした場合、その間を埋められるクラブを選択する。

男子プロの場合、残り3本はアプローチウエッジとフェアウエイウッド2本（もしくはユー

14本のクラブも何気なく揃えるのではなく、自分の飛距離を考えて必要なクラブを選ぶ

ティリティ）というケースがほとんどだ。ドライビングアイアンもしくは2番アイアンを入れる人もいるが少数派である。

女子プロもこれと同じケースが多いが、ユーティリティを入れる人は少なく、フェアウェイウッド派が多い。また、中にはアプローチウエッジを入れずにフェアウェイウッドを3本入れる女子プロもいる。

ラウンドのコツ 2 アマチュアにはロングアイアンは必要ない!?

クラブの中でもっとも難しいといわれているのが、1～4番のロングアイアンである。しかし、1番、2番アイアンを入れている人はアベレージゴルファーにはまずいないので、通常ロングアイアンといったら3番と4番をいう。

ロングアイアンをきちんと打

12、13、14本目のクラブ

ほぼ定番の11本以外には、自分の飛距離にあわせたクラブ選択が必要。その際に候補となるクラブをいくつか紹介する。

【アプローチウエッジ】

アプローチウエッジとは、ロフト的にサンドウエッジとピッチングウエッジの中間に位置するクラブ。

そもそもなぜアプローチウエッジが登場したかというと、アイアンがストロングロフト化したからだ。ストロングロフト化とは、ロフトを立てて飛距離アップを図ることである。アイアンすべての番手でロフトを立てていき、ピッチングウエッジまではロフト角を均等に立てていくことができた。しかし、サンドウエッジだけはロフト角を立てられなかった。というのも、サンドウエッジは主にバンカーショットで使う特殊なクラブで、ボールを上げる役割が多いためロフトを立てることができなかったのである。

そのためピッチングウエッジとサンドウエッジの間にできた大きな飛距離の差を埋めるべく、アプローチウエッジが登場したのである。

【フェアウェイウッド】

フェアウェイウッドというと、通常3W（WはWoodの略）、4W、5Wの3本をいう。

3Wは「スプーン」と呼ばれロフト角13～15度くらい、4Wは「バフィ」と呼ばれロフト角は16～18度くらい、5Wは「クリーク」と呼ばれロフト角19～22度くらいのクラブである。飛距離的にはドライバーと3番アイアンの間の距離を埋める役割をする。

【ユーティリティクラブ】

ユーティリティクラブは、飛距離的にはフェアウェイウッドとバッティングし、形状的にはアイアンとウッドの中間にあり、両者のいい所を取ったクラブとして位置づけられている。そのため、打ちやすい割には風に負けない強い弾道がでる、という特徴を有している。ロフト角は、15～25度くらいをカバーし、飛距離的には、ドライバーと3番アイアンの間の距離を埋める。

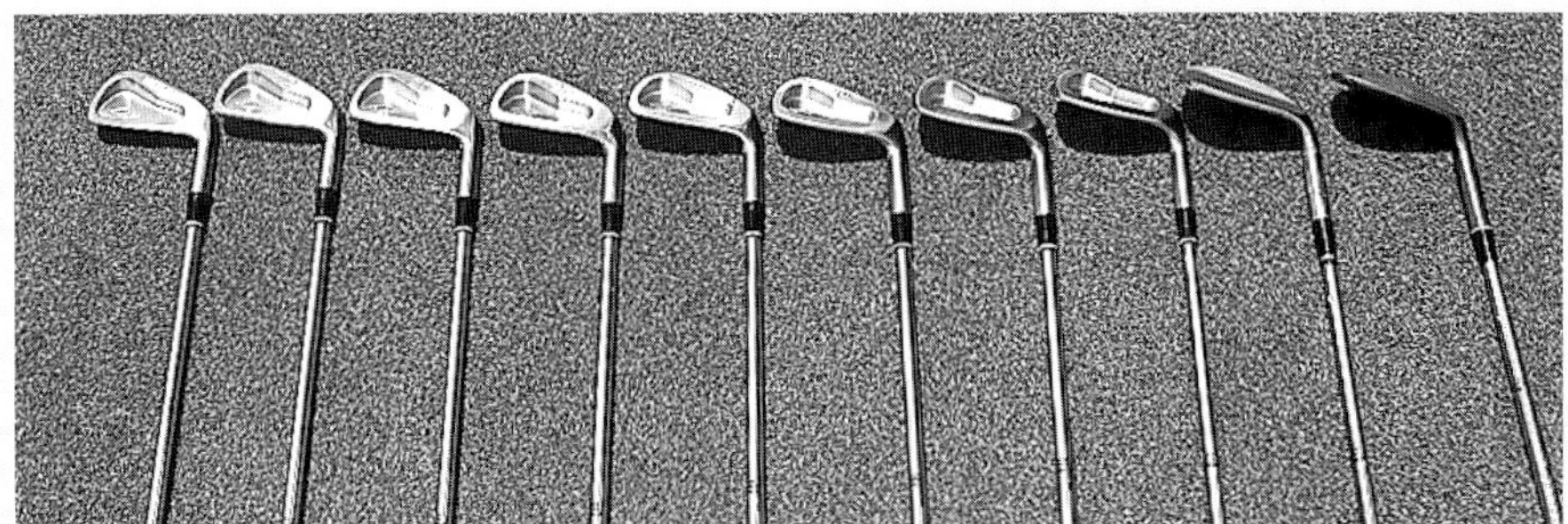

左から3番アイアン～9番アイアン、ピッチングウエッジ、アプローチウエッジ、サンドウエッジまで

ちこなすためには、最低でもヘッドスピードが43ｍ／ｓ以上必要だ。このヘッドスピードがないと、浮力が働かず、ボールが上がらないのである。

しかし一般男子アマチュアの平均ヘッドスピードはというと、実は40ｍ／ｓ前後である。ということは、ほとんどのアマチュアゴルファーがロングアイアンは打てないことになる。

3番アイアンの代わりに、同じ飛距離のウッドを用意するのも選択肢のひとつ

30歳前後の成人アマチュア男子の平均飛距離

コース攻略は、自分の飛距離を正確に把握することから始まる。ドライバー、フェアウェイウッド（もしくはユーティリティウッド）、アイアンの飛距離を正確に把握しておきたい。ちなみに、30歳前後の成人アマチュア男子の平均飛距離は、ドライバー／240ヤード。アイアン／3番＝190ヤード、4番＝180ヤード、5番＝170ヤード、6番＝160ヤード、7番＝150ヤード、8番＝140ヤード、9番＝130ヤード、ピッチングウエッジ＝120ヤード、アプローチウエッジ＝100ヤード、サンドウエッジ＝80ヤード。

そこで、「ロングアイアンを敢えて14本の中に入れない」という選択肢を提案したい。初めから3番、4番アイアンを入れないで14本を構成するのである。要は、3番アイアンと4番アイアンの飛距離が出るクラブを選択すればいいワケで、それが7番ウッドと9番ウッドと呼ばれるクラブである。

この2本のクラブは形状がフェアウェイウッドのため、低重心設計で重心深度も深く、ボールが上がるよう設計されている。ロングアイアンよりも数段打ちやすいクラブなのである。

ロングアイアンを捨てて7番ウッドや9番ウッドを選択するという方法は、プロでも実践して結果を出している。スコアメイクという観点では、明らかにこの選択肢のほうが良いスコアが出るだろう。

ただし、メーカーによってロフト角と長さが異なるため、7番ウッドと9番ウッドが必ずしも正確に3番アイアンと4番アイアンの飛距離をカバーするというわけではない。自分の3番アイアンと4番アイアンの飛距離を知り、その飛距離をカバーするウッドを見つけよう。

ラウンドのコツ 3 アイアンの飛距離自慢は、愚の骨頂

ドライバーショットだけではなく、アイアンショットでも飛距離を自慢する人がいる。しかし、アイアンの飛距離自慢は具の骨頂だ。アイアンは飛距離を争うクラブではなく、正確性を争うクラブなので、より遠くへ飛ばしても何の意味もないの

アイアンは飛距離ではなく、正確さを第一にショットする

だ。

さらにいうならば、アイアンだけが飛ぶという人はスイング的に問題がある。例えば、ドライバーで300ヤード飛ぶプロが7番アイアンで160ヤード飛んだとしても何ら問題はない。

しかし、ドライバーで230ヤードしか飛ばない人が7番アイアンで160ヤード飛んだとしたら問題である。なぜならば、そんなに飛ぶということは、ロフトを異常に立てて構えているなど、間違った構えやスイングの結果飛んでいるとしか思えないからだ。

ラウンドのコツ4 ミスのカバーでスコアに差が出る！

「ゴルフというのは、ミスを減らすスポーツだ」といわれる。これは言いかえれば、「ゴルフはミスをしてしまうスポーツ」なのである。要はこのミスをいかに少なくするか、いかにミスをカバーするかがスコアメイクのポイントになる。

ミスをカバーするときに、スコアをつくれる人、つくれない人、さらにいえばゴルフのうまい人と下手な人の決定的な違いが出る。例えば、ドライバーショットが大きく右に曲がり、林の中にボールが入ってしまったとしよう。脱出ルートは3つある。

①真横に出すルート

このルートは、前が大きく開けていて障害物がない。

②斜め前方に出すルート

このルートは木と木の間に2mくらいの間隔がある。しかし、下枝が垂れ下がっているためボールを上げてしまうと枝に当たるため、低く出していくしかない。

③ピン方向を狙うルート

このルートは木と木の間が1mくらいときわめて狭く、またグリーンの40～60ヤード手前に巨大なバンカーがある。

①～③のどのルートを選択するかは、冷静に自分のショットの精度を考えなければならない。1mの間隔を正確に打っていける技術があれば、③でグリーンを狙ってもいいが、その技術がない場合は、③のルートは避けたほうがいい。無理をせず、自分の技術に合わせて①か②を選ぶのが無難だ。

自分の技術を冷静に判断して、球の出し所を決める

そしてさらに悪いのが、ミスを取り戻そうとして、ミスの上塗りをしてしまうケースだ。

上記のケースでいえば、③のルートを選んだが、ボールは木に当たって跳ねかえりOBになってしまった。するとそのミスを取り戻そうとして、再び③の難しいルートを狙い泥沼にはまるようなケース。

ゴルフは攻めるばかりが攻略法ではない。ときには、勇気ある撤退も必要なのである。

ラウンドのコツ5 失敗を忘れるクセをつける

ミスは上塗りをするだけでなく、引きずってしまうという側

面を持っている。いわゆる、ミスの連鎖である。どこかのホールで大タタキをしてしまうと、精神的にガックリきてしまい、少なくともそのハーフが終わるまでは精神的ダメージを引きずってしまうのだ。

しかし、失敗を引きずっている限り成功はあり得ない。失敗はできるだけ早く忘れるようにしよう。一流プロはこのあたりの切り替えがものすごく早い。絶対に失敗を次のホールまで引きずらないのである。

とはいってもアベレージゴルファーの場合、次のホールですぐに失敗を忘れることはできない。そこでおすすめの方法が、開き直るという手だ。「今日はもうあきらめた。次にラウンドするときのための練習にしよう」と考えを切り替えてしまうのだ。そうすると不思議に緊張が解け、リラックスしてプレーできることが多いものだ。

ラウンドのコツ 6 アドレスの長い人はうまくなれない！

アベレージゴルファーには、アドレスが異常に長い人をよく見かける。しかし、アドレスの長い人にうまい人はいない。アドレスが長いと体が硬くなり、スムーズなテークバックができなくなるのである。

そのいい例が、プロゴルファーにアドレスが長い人はいないということ。ほとんどのプロは、程度の差こそあれ、構えたらすぐに打つ。数秒止まってしまう人はいないのだ。

アドレスからフィニッシュまでは一連の流れで動く

ラウンドのコツ 7 夏と冬では攻め方が違う

ゴルフはシーズンによってコースの攻め方が違ってくる。特に対照的なのが夏と冬である。

一例をあげると、芝の状態が夏と冬とでは大きく異なる。冬はほとんどが枯れ芝となるため、ラフに入ってもそう怖くない。逆にフェアウェイは芝がとても薄くなってしまうので、ラフのほうがボールが浮いて打ちやすいケースもある。しかし、夏はフェアウェイとラフとの打ちやすさの差は歴然と表れてしまう。夏にラフに入ってしまったときには、確実に出すことを優先しよう。

芝の状態によって、夏と冬ではコースの攻め方も変わる

グリーンまわりの攻め方も、冬はとにかく手前の花道を使っ

て転がして攻めていくのがセオリーだ。芝が枯れていてランが出るためだ。しかし、夏は芝の抵抗が強いため、ある程度果敢にグリーンを攻めていかなければならない。

ラウンドのコツ 8 ティグラウンドでは、地面の硬い場所にティアップする

ティアップをする場所は、ただ無造作に決めるのではなく、できるだけ条件の良い場所をさがすようにする。そのときにチェックするポイントは、

●地面(下)の硬い場所を選ぶ

地面がフワフワしているよりも、硬くしまっている場所を選ぶ。

●地面の平坦な場所を選ぶ

地面がデコボコしていないかチェックする。

●芝の短い場所を選ぶ

だいたいのティグラウンドは、芝がきれいに刈られているが、中には芝の伸びた部分もあるので注意する。

中にはデコボコのあるティグラウンドもあるので注意！

デコボコのある場所や、柔らかい地面にはティアップしない

ラウンドのコツ 9 ボールローテーションは必要か？

プロゴルファーは1ラウンドで4~5個のボールを使用する。ひとつのボールをラウンドじゅう使い続けるということはなく、4~5ホールごとにボールをかえていくのである。

アマチュアゴルファーの場合、プロのようにこだわる必要はないが、ある程度ボールがいたんできたらかえたほうがいい。特にアベレージゴルファーの場合、トップしたり、岩場に打ち込んでしまったりで、ボールがいたむケースがある。また、バンカーショットではフェースとボールとの間に砂が入るため、どうしてもボールがささくれやすくなる。

ただし、ホールの途中でボールをかえるとルール違反になるので注意したい（プレーに支障がでる程度にいたんでいるときはかえてもいい。その場合は、同伴競技者の同意が必要）。

ボールのいたみ、ささくれなどに注意しよう

パートナーの言動に振り回されない

ラウンドのコツ10 人に影響されないように回る

ゴルフはパートナーの影響を受けやすいスポーツである。もちろんパートナーのボールの行方を見てあげるとか、林に入ったボールを捜してあげるというのは、円滑にラウンドするという意味からも最低限のマナーである。しかし、最低限のマナーさえ守っていれば、あとはできるだけパートナーの行動を気にせず、自分の世界に入り込んでプレーしたほうがスコア的には良くなる。

例をあげると、あなたがバーディパットやパーパットをするときに、パートナーから「バーディパットがんばれよ」とか「パーパットだから慎重にね」と声をかけられたとする。しかし、アベレージゴルファーの場合、「バーディパットがんばれよ」と声をかけられると逆に過度に意識してしまう。結果、ショートしてしまったり、逆にショートだけはしまいと思い強く打って、返しのパットもはずしてしまうようなことが往々にしてある。こんなとき、周りを気にせずマイペースでプレーできていれば、周りの声も気にならなくなる。

つまり、最低限のマナーは守るものの、マイペースで自分のリズムでプレーする、これが周りに影響を受けずに好スコアを出せるコツなのである。

ラウンドのコツ11 練習場とコースはまったく違うもの、と考える

練習場とコースで決定的に違うのが、コースには平坦なところがほとんどないという点。特にティグラウンド以外では、程度の差こそあるが必ず何らかの傾斜がある。

ということは、より軸ブレしない安定したスイングをしないとうまく打てない、ということである。わずかな上下動やスエーが、ダフリやトップになってしまうのだ。

さらに注意しなければいけないのが、人工芝と天然芝の違いである。練習場のマットは人工芝である。人工芝というのは極めて滑りやすく、また天然芝のようにヘッドが土の中に突き刺さるということはない。そのため、少々ダフってもヘッドがマットの上を滑りナイスショットになってしまうのである。練習場では良かったのに、コースに出たらボロボロというのは、こういった理由にもよるのだ。

練習場とコースは、芝の条件や傾斜など、さまざまな点でまったく異なるもの、と考えよう

ナイスショット！につながる スイングレッスンの格言

ゴルフスイングにはさまざまな格言があるが、人によってその言葉が正しくなったり、間違いになったりすることがある。より正しいスイングのために、ここではスイングレッスンの格言をいくつか紹介していく。

スイングレッスン 格言1 ドライバーは力めば飛ばない！

ドライバーショットは飛ばそうとして力(りき)んでスイングすると、逆に飛ばなくなってしまう。力むことで弊害が生じてしまうのだ。どのような弊害が生じてしまうかというと、

●体が硬くなってしまう

体が硬くなるということは、筋肉を柔軟に使えないということであり、飛ばない原因となるのだ。特に腕は柔軟にしならせて打ったほうがいいのだが、力むと硬直してしまい、腕がしならなくなってしまう。

●ダウンスイングでコックが早くほどけてしまう

コックが早くほどけると、ヘッドスピードの最速点がインパクト前になってしまい、ヘッドは走らなくなる。力むということは、手に力が入るためコックがほどけやすくなってしまうことにもなる。

●体がスエーしやすくなる

スエーするということは正確にインパクトできないということであり、ボールが飛ばないのである。

以上のように、ショットはドライバーに限らず、少し力を抜くくらいでスイングしたほうが飛ぶのである。

力めば力むほど、ボールは飛ばなくなる！

スイングレッスン 格言2 「スイング中に頭を動かすな」はウソ!?

「スイング中に頭を動かすな」というレッスンの格言がある。

しかし、スイング中に頭は動くもので、逆に頭を動かさないと弊害が生じてしまう。

スイング中に頭が動くのは上体が前傾しているからで、直立の状態で体を回せば頭は動かない。しかし、前傾状態で体を回せば、右に回せば頭は右に、左に回せば左に動くのが自然なのである。

ただし、頭が動いていいといっても、前傾姿勢の自然な状態以上に動くのはよくない。ところが、多くの人が自然な前傾姿勢以上に頭が動いてしまい、それとともに体がスエーし、軸がブレてしまうケースが多い。そのため大きく体が動くミスをなくすために、「頭を動かすな」というレッスンの格言ができたのである。要は頭の動く程度の問題なのである。

前傾姿勢で体を回せば、頭も動くのが体の自然な動き

インパクト後は体の回転とともに、頭を飛球方向へ上げていく

スイングレッスン 格言3 「フォロースルーまで頭を上げるな」はウソ!?

「フォロースルーまで頭を上げるな」という格言がある。この格言はヘッドアップ防止の格言だが、これもじつは間違いである。

ヘッドアップとは、インパクト直前に頭を上げてしまう状態をさす。こうなると体が伸び上がって、インパクトで正しくボールがつかまえられず、ミスショットしてしまう。アベレージゴルファーがインパクト時に起こしやすい、典型的なミスのパターンである。このヘッドアップを防ぐために、「フォロースルーまで頭を上げるな」という格言が生まれた。

しかし、頭が上がってしまうこと自体が悪いのではない。ヘッドアップするということは、その前に体が伸び上がるから頭が上がってしまうのである。

つまり、いくら頭を上げないようにしても、体が伸び上がることをおさえなければ、根本的なヘッドアップの解決にはならないのである。

スイングレッスン 格言4 オーバースイングは飛距離を生まない!

“飛ばし”という観点からいえば、上半身は回せるだけ回したほうがいい。しかし、回し過

ぎると、どうしてもオーバースイングになってしまう。オーバースイングは軸がブレやすくなるので、おすすめできない。

ふつう、テークバックでの上半身は、左肩がアゴの下に来るまで（90度）回っていれば十分で、それ以上回す必要はない。

そして、飛ばしで勘違いしてほしくないのは、大事なことは上半身を回せるだけ回すことではなく、「下半身をできるだけ回さずに上半身だけを回し、上半身と下半身に捻転差をつくること」だ。この捻転差によって上半身が（ダウンスイングで）解かれる力を強くし、飛ばしを実現することになる。

スイングレッスン 格言5 スイングはひとりの人に習うべし

「スイングはひとりの人に習うべし」といわれている。これはどういうことかというと、いろいろなレッスンを受けると迷ってしまうので、ひとつの教えを全うしたほうがうまくいくということだ。いくつもの理論（人）で練習すると、ゴルフが複雑になってしまい上達を妨げるケースが出てくる。

ゴルフレッスンというのは、正解がひとつではない。例えば前述した「スイング中に頭を動かすな」という教え方も正確には間違いであるが、スイング中大きく頭が動いてしまう人に限っていえば有効だったりする。このようにすべての人に有効なレッスンなどありえない。

要は、自分のスイング、自分のクセにあったレッスンを選ぶということ。あくまでもゴルフレッスンというのは、スコアを良くするための手段であり、目的ではないということを頭に入れておかなければならない。

何人もの人から教わると、混乱も起きやすく、ゴルフが複雑になりやすい

スイングレッスン 格言6 スイング中は「クラブを上げたら下ろす」の一点に集中する

スイング中は、いろいろな事は考えないほうがいい。いろいろな事とは「ゴルフ以外の事」はもちろん、「ゴルフも含めたいろいろな事」という意味である。

例えば、スイング中にヘッドをどこに上げようか、トップでフェースの向きは正しく向いているだろうか、などと考えたら絶対にスイングもストロークもうまくいかない。それらは、練習場で考えるべきことである。

スイング（ストローク）のときは「（クラブを）上げたら下ろす」、この一点だけに集中してあれこれ考えない。そうすればナイスショットは自然に出るのである。

内藤雄士おすすめ！

スタート前のストレッチ・メニュー

上半身、下半身、腕、肩、腰など、プレーにとって大切な筋肉をほぐすストレッチは、スタート前に是非実行してほしい。筋肉をほぐすことは、体の能力を引き出し、ケガの防止にもつながる。内藤雄士がすすめる6つのストレッチ・メニューを紹介する。

❶ 体の側面の筋肉を伸ばすストレッチ

①足を肩幅の広さに広げ、クラブを両手で持ち真上に上げる。
②ゆっくり上体を左に曲げていく。
③次に右に曲げていく。②と③をそれぞれ5回、繰り返し行う。
使用クラブは7番アイアン以下の短いクラブが良い。

1

❷ 腕から背中にかけての筋肉を伸ばすストレッチ

①写真のように背中側でクラブを持ち、左手で上に、右手で下にそれぞれクラブを引っ張る。
②右手と左手を上下逆に持ち替えて①と同じように引っ張り合う。①と②をそれぞれ5回、繰り返し行う。使用クラブは何番でもOK。

上体を捻転（ねんてん）させるストレッチ

①クラブを背中に抱えるように持つ。
②前傾角度を変えないで、テークバックするように上体を右に捻転させていく。
③同じく前傾角度を変えないでダウンスイングからフォロースルーをとるように上体を左に回していく。

一連の動作を5回繰り返す。使用クラブは何番でもOK。

下半身の筋肉を伸ばすストレッチ

1

①右ヒザを曲げ、左足を後ろにまっすぐ伸ばす。このとき、ドライバーのネック部を持って支えにすると、バランスを保った状態でしっかり左足を伸ばすことができる。

②次に左ヒザを曲げ、右ヒザを伸ばした①と逆の状態でストレッチする。

①と②をそれぞれ5回繰り返す。

❺ 腰から足にかけての筋肉を伸ばすストレッチ

①左腰に手を当て、左足を横に開く。このまま手で腰を押しながら左腰を内側に入れ込んでいく。

②右腰に手を当てた①と逆の状態で、手で腰を押しながら右腰を内側に入れ込んでいく。

①と②をそれぞれ5回繰り返す。このとき、ドライバーのネック部を持って支えにするとバランスを崩さない。

❻ 脚の内側の筋肉を伸ばすストレッチ

①右手でドライバーのネック部を持って支えとし、左足を右ヒザの上にのせる。脚の内側を伸ばすよう意識する。

②次は逆の脚。ドライバーを左手に持ち替え、右足を左ヒザにのせる。それぞれ3回繰り返す。

編集・制作／児玉編集事務所
執筆／土屋光男
撮影／増田昇太郎
本文デザイン／白井有希子
イラスト／宮古　哲　大橋啓子
モデル協力／阿河　徹
植村　啓太

撮影協力／ **PLANET GOLF**
ブリヂストンスポーツ

㈱ラーニング ゴルフ クラブ
東京都杉並区高井戸東3-11-7
☎03-3334-7111

ファイブエイト ゴルフクラブ
栃木県矢板市安沢字打越2180
☎0287-41-0058

※本書は丸山茂樹プロのホームコース、ファイブエイトゴルフクラブで撮影されました。

監修者プロフィール

内藤雄士
Yuji Naito

1969年・東京生まれ。日本大学ゴルフ部出身。アメリカにゴルフ留学し、サンディエゴ・ゴルフアカデミーやUCSD（University of California in San Diego）、デーブペルツ・ショートゲームスクールなどで最新のゴルフ理論を学ぶ。2001年には日本人初のUSPGAツアープロコーチとして、マスターズ、全米オープン、全米プロのメジャー大会に参加した。現在は丸山茂樹プロ、矢野 東プロ、平塚哲二プロ、川原 希プロなど十数名のプロコーチとして活躍中。雑誌連載等でもゴルフ理論を紹介している。㈱ラーニングゴルフクラブ代表取締役。

ゴルフ上達BOOK

監　修　内藤雄士（ないとうゆうじ）
発行者　深見悦司
発行所　成美堂出版
〒162-8445　東京都新宿区新小川町1-7
電話(03)5206-8151　FAX(03)5206-8159
印　刷　凸版印刷株式会社

ISBN978-4-415-02033-4
落丁･乱丁などの不良本はお取り替えします
定価はカバーに表示してあります